£1.20

edition suhrkamp

Redaktion: Günther Busch

Jürgen Becker, 1932 geboren, lebt in Köln und Frankfurt. Veröffentlichungen: *Felder* (1964); *Ränder* (1968); *Bilder Häuser Hausfreunde.* Drei Hörspiele (1969); *Umgebungen* (1970); *Eine Zeit ohne Wörter.* Fotografien (1971); *Das Ende der Landschaftsmalerei.* Gedichte (1974).

In seinem dritten Prosa-Buch setzt Jürgen Becker seine Suche nach der vorhandenen Wirklichkeit fort. Diese Wirklichkeit, in den *Feldern* aufgelöst in disparate Einzelheiten und in den *Rändern* als Modell einer Grenz-Erfahrung konstruiert, erscheint hier im Sinne des Titel-Wortes als das, was uns umgibt: in Wohnzimmern und Großraumbüros, in Dorfresten und städtischen Ballungsräumen, in Vorstadt-Gärten und Einkaufszentren, in Verkehrs- und Freizeit-Räumen, in der ruinierten Natur von Heide und Wald. Mehr als bloße Realien kommt in diesen Umgebungen vor: Denken und Verhalten, wie es durch ihren Einfluß bestimmt wird, sucht Jürgen Becker ebenso zu artikulieren wie das Selbstverständnis, das jede Umgebung von sich aus in ihren öffentlichen Angeboten bekundet. Beides erscheint in einem Zusammenhang, der den Widerspruch zwischen Ablehnung und Identifikation, Resignation und Hoffnung vermittelt. Deutlicher als zuvor treten in diesem Buch Figuren auf: Muster-Figuren einer Anpassung, die sie zu Objekten, zu Produkten ihrer Umgebung gemacht hat. Durchdrungen freilich wird diese Umgebung der Objekte von einem Bewußtsein, das via Erinnerung, Phantasie und Imagination nach den geschichtlichen, legendären und privaten Hinter- und Untergründen der zitierten Wirklichkeit sucht. Jürgen Becker geht wiederum vom Repertoire der subjektiven Erfahrungen aus, in der Hoffnung, daß die Benennung seiner Erfahrung vergessene, verschüttete Erfahrungen der Leser benennt; daß die Wahrnehmung privater Umgebung den Leser aktiviert, die eigene wahrzunehmen als einen Bereich, in dem sich Privates und Öffentliches untrennbar vermischt. Jürgen Becker findet seine Umgebung in der rheinischen Realität, die freilich keine regional begrenzbare bleibt: als Beispiel vorhandener, geschichtlicher, heutiger Realität.

Jürgen Becker
Umgebungen

Suhrkamp Verlag

edition suhrkamp 722
Erste Auflage 1974
 Satz, in Linotype Garamond, Druck Verlagsgesellschaft Nomos, Baden-Baden. Gesamtausstattung Willy Fleckhaus.

Umgebungen

Landkartenwand; und weiter: es sind hier Bilder und Projektionen dessen, was vorstellbar, aber nicht anwesend ist wie nun etwa draußen die Baumgruppe am Ende des Gartens: drei finnische Fichten, der Ahorn in Massachusetts, die Birke ungefähr Georgien

so, mit diesem Entwurfs-Satz betreten wir das Gelände einer geographischen Imagination, das heißt, konkret, eine für unsere Vorort-Gegenden typische Rasenfläche ca. vierzehn mal dreizehn Meter, eingefaßt von Buschwerk und Zaun; unser Wolf-Gerät hinterläßt schnurgerade Schneisen im englischen schnittreifen Gras. In diesem gewaltigen Sommer. Der Abbau des ostatlantischen Hochs kommt nicht so recht voran; der Tiefdruckkeil über Island löst sich schon auf über Island; wie war denn der Sommer 39? ich weiß; noch, noch funktioniert jedenfalls mein Gedächtnis zeitweise ganz überraschend, so daß dann gefragt wird: wieso weißt du denn das noch? wieso weiß ich denn das, hinter meinem Spindelmäher, noch und wie einst: in der Betrachtung eines Kondensstreifen-Himmels, der doch still bleibt, plötzlich, über einer gelassen brennenden Stadt, im sogenannten Grünen Herzen des Landes zur Mittagszeit. Grün, zitiere ich jetzt, grün wie in Neu-England, welchen amerikanischen Bundesstaat (Mass.) wir indessen gar nicht überflogen haben mit unseren offenen Round-Flight-Tickets im römischen Frühling 66, als Percy Sledge mit seiner When-a-man-loves-a-woman-single herauskam und das permanente Rotieren dieser wirklich irren Scheibe uns eine Nacht kostete im Martinique-Hotel, ja, und den Inhalt dieses Satzes hat der Schreiber dieses Satzes doch schon einmal, mindestens, erzählt? Erzählen Sie mir irgend was, sagte heiser, also verführend, eine Stimme in der Muschel, aber spröd blieb ich und nichts, nichts erzählt der oft so wortgewandte Mann in seiner so plötzlich ihn beherrschenden Schweigsamkeit, daß uns der totale Schwund seiner Wörter gar nicht als disziplinarische Maßnahme seines wachhabenden Ichs vorkommen will; was hat er denn nur wieder? Sitzt da so rum, muffelt was, keiner versteht. Nein, ich mache auf vielleicht hier und da bekannte Kontaktstörungen aufmerksam, die sich bemerkbar machen mögen, wenn von verschiedenen Seiten verschiedene Zwänge gleichzeitig ausgeübt werden, so daß nach keiner Seite mehr hin eine Reaktion möglich und stattdessen alsbald ein schauerlicher Zustand von Lähmung erkennbar wird. Diese bürgerliche Wiese indessen, seit den letzten Gewitterböen, ist fast zur Hälfte von großen schönen Ahornblättern bedeckt, und wir haben äußerste Skrupel, solches Arrangement zu stören. So befinden wir uns augenblicklich im Einflußbereich einer ostasiatischen Anekdote, in der, einst nacherzählt von Albrecht Fabri, von einem Erwachsenen erzählt wird, der einem Knaben beibringt, den leergekehrten Weg mit einigen Blättern zu bestreuen . . . so, nun ist Harmonie perfekt. Mehr und mehr Rasenmähermotoren werden in den Gärten der Nachbarschaft angeworfen. In der Nähe ist das Meer; ich sage immer jedenfalls, daß in der Nähe, gleich hinter dem Wald, das Meer beginnt, denn das Meer wird vermißt als ein Zustand der Ruhe. Was ist Ruhe? Im Gegensatz zum gemeinten ein Zustand, der mit Unruhe zu tun hat: indem man nämlich Ruhe verspricht, droht man mit der Gewalt, die Ruhe einzuführen einzig imstande wäre. Wir haben also Angst vor der Ruhe, um so mehr, als sie von massenhaft freundlichen Mitmenschen zunehmend gewünscht wird. Du meinst diese Sorte von Ruhe doch gar nicht. Nein. Das hilft uns aber nichts. Ich bilde mir die Nähe des Meeres ein, jetzt, jetzt aber kommt das Geräusch von klatschenden Knüppeln, kein Seewind, und das Geräusch des hörbaren Aufatmens vieler Leute draußen im Lande. Diese Nachbarn haben auf ihrer Wiese eine Ping-Pong-Platte aufgestellt und spielen Ping-Pong; jene Nachbarn haben über ihre Wiese ein Netz gespannt und spielen Federball. Mein stalinistischer Freund ist ein guter Vater und Turner. Schauen wir uns diesen Satz doch mal an: indem ich einen Freund als Stalinisten deklariere, impliziere ich die sowohl moralische wie politische Unmöglichkeit, im bürgerlichen Besitze eines stalinistischen Freundes zu sein. Nun dennoch es zuzugeben, impliziert weiter entweder bloße Koketterie oder das Risiko, einer gewissen Toleranz geziehen zu werden. Und indem ich endlich meinen stalinistischen Freund als guten Vater und Turner deklariere, impliziere ich das klassenabhängige Vorurteil, demzufolge ein Stalinist nicht in friedlich freundlicher Privatheit denkbar ist: ihr seid doch alle von einundderselben ruhestörenden Sorte. Sieh hin, mein Kind, es biegt sich die Birke im bögen Wind. Wirklich ist ein Fortschritt dieser simple Grasfangkorb, der es uns erspart, das gemähte Gras mit einem Rechen und so weiter, aber wirklich herrlich war's ja doch, in den Ferien auf dem Lande in den Heuhaufen und so weiter, wobei es bloß die Fliehenden erwischen konnte, wenn nämlich eine Schwadron verfolgender Ulanen mit ihren Lanzen und so weiter. Dann schnaubten in der Dämmerung die Pferde. Dann wieherten hell im Morgenrot die Pferde. Bis das Biwak abgebrochen war. Und das Häuflein der Versprengten weiter ins Verderben ritt, in den Lautsprechern der finnländische Reitermarsch. Sind wir nun glücklich und erholt im WOLF-gepflegten Garten? Wenn du dir dieses Schnittergebnis betrachtest, dann ist mir die parallele Einstellung von Führungswalze und beiden Rädern vollauf gelungen. Leiser Lauf. Dennoch bleibt das Gefühl der Vorläufigkeit, obschon sich dieses gepannte Verhältnis immer wieder ausbalanciert und oft auch gar kein Anlaß gegeben ist, wieder an Konsequenzen zu denken, die vor allem und zuerst eine ungebrochene Leidensfähigkeit beweisen würden. Also bleibt Zukunft immer auch ein personales Problem, das auch im System des kollektiven Lebens nicht ohne weiteres aufgehoben werden kann ... na dann, dann also weiter so in der Geschichte der Abhängigkeiten und solo unternommenen Ferienreisen und verzweifelt gepflegten Rasenflächen und abenteuerträchtig arrangierten Bottle-Parties? Fragen wir mal Harrimann: könnte ich jetzt wieder sagen, und damit wären wir wieder beim Zitat der Bezeichnung einer Imagination gelandet, die über unser augenblickliches Gartenleben hinausreicht und nichtsdestoweniger inhaltlos bleibt, solange ihre Programmierung nicht deutlicher erkennbar wird.

Das sind nun wieder solche Erledigungsnotwendigkeiten, die immer aufgeschoben werden, bis sie völlig unübersehbar geworden sind als Haufen von Zeitungen, Briefen, Herbstlaub, Flaschen und Kühlschrankgerümpel, Amtsbescheiden, ungeputzten Schuhen, Schlamperei und mehr.

Aber bald ist doch bald. Bald wird dieser Augenblick ein vergangener Augenblick sein. Wenn wir schon die Schlüssel rasseln hören, wissen wir, daß wir bald hinausgelassen werden. Bald wirst du auch deine letzten Skrupel überwunden haben. Schon die Nachricht, daß bald mit einer Nachricht zu rechnen sein wird, wirkt wie eine Erlösung. Bald gibt es nichts, was dich daran hindert, wieder zuversichtlich zu sein. Denn bald ist es ja soweit. Bald ist es eine Hoffnung, dann nur wieder eine Illusion, oft auch eine Enttäuschung. Trotzdem, unsere Geduld ist bald zu Ende. So wird man bald von Worten zu Taten übergehen müssen. Es mußte ja bald so kommen, denn wo man auf der einen Seite sich zu keiner Einsicht bequemen wollte, mußte man auf der Gegenseite alsbald reagieren. Bald fängt auch die neue Vergangenheit an. Bald ist undurchdringlich und weit. Bald ist nicht hier. Vielleicht sind wir bald da und ihr seid dort. Bald sind wir von denen, die nach uns kommen, völlig überrundet. Bald ist schnell und schon wieder vorbei, atemlos und manchmal nie. Bald ist das, was ich immer aufschiebe, das, was ich nie getan haben werde. Bald hätte es niemand gemerkt. Dann war es aber bald still. Das kann bald wieder nicht genauso, aber so ähnlich sein. Der bald gestillte Hunger. Bald fallend, bald kriechend. Wenn schon, dann bitte bald. Bald hört nicht auf. Bald kommst du dran. Der bald aufhörende Schmerz. Bald ist nicht neu. Bald ist ein Trost, ein alter Schwindel, die nachlassende Aufmerksamkeit, ein Schleier und bestimmt die nächste Nacht. Bald von allen Seiten, plötzlich, erschreckend. Bald ist, wenn es zu spät ist. Bald ist schon gewesen.

Toronto? Klein-Eichen?

Dieses weiße Telefon vermittelt heute widerwärtige Geräusche, und diese Türschelle hängt eigentlich auch nicht so hoch, daß man sie nicht herunterschlagen könnte. Was sind denn das für Leute, nach denen hier gesucht wird? Wo sind denn abgeblieben diese Hausbesitzer, Untermieter, Herrenreiter, Sängerinnen, Söhne, Prämienzahler, Kanadier? Keine Spuren hier in diesem Haus, und wie nun, wohin auch wir verschwunden sein werden, wer will denn jetzt schon das noch wissen?

Die Veränderung des Aufenthaltes verändert das Verhalten.

Mürrisch war er, als er nachts sein Heim betrat, und nur seine Abhängigkeit vom Besitz hinderte ihn daran, alles kurz und klein zu schlagen. Nach diesem Blick in jene Welt nahm er sich vor nicht zu vergessen, daß es mehr Möglichkeiten der Glückssteigerung gibt: Dem Taxifahrer gab er knappe Anweisung; der Dame im Empfang reichte er seine Karte. Sie schaute erst in den Spiegel, ehe sie wieder ins Zimmer schritt. Im Eiscafé vergaßen sie eine kurze Stunde das Risiko, beim Hinübergehen zur Parkuhr gesehen zu werden. Nur die französische Küche riß ihn noch hin. Im Badezimmer wurde es ihm schlecht. Im Hotel fragte er sich, warum zum Teufel er schon ins Hotel gegangen sei. Das ist endlich Whisky, wirklich, das ist endlich anständiger Whisky. Bist du immer so wild? Als er am Steuer saß, glaubte er, wieder nüchtern zu sein. Nein, hier kenne ich mich selber nicht mehr. Bald spürte sie, daß alle Blicke ihr folgten, und dann dauerte es auch nicht lange, daß sie keinem der Blicke mehr auswich. Es ist wahr, er tanze nur in Italien, hat er gesagt, der Professor, als der Riese ihn aufgefordert hat zum Tanzen, im Grunewald. Fliegend gelassen werden. Ich springe, ich tanze, ich sause ins Meer. Ganz und gar verwandelt ist sie wiedergekommen. So redest du erst, seit du bei denen da mitmachst. Nun wohnt er in seinem Schloß, nun kennt er uns nicht mehr. Wo hast du denn so was gelernt? Ziemlich sauer ist er weggefahren, und weggefahren ist er überhaupt nur, weil er in Gedanken schon wieder in seinem alten Trott war.

Dieser Glanz in den Gärten ringsrum.

Gärten am Bahndamm, Gärten zwischen den Baracken, Gärten im totalen Krieg, Gärten mit Pflaumen und alten

Männern, Gärten und Bollerwagen, brennende Gärten, der Geruch der Tomaten in den Gärten am Fluß, wir klauen in den Hinterhof-Gärten Äpfel und Birnen, tropfende Gärten nach dem Regen in der Nacht, Schutzsuchende in den Vorort-Gärten, der Geruch der Bratkartoffeln in den Gärten am Kanal, die heimlich in den Gärten vergrabenen Uniformen und Waffen, Gartenbilder zum Erinnern an die Gärten der Großeltern, leere Gärten im Winter, frühmorgens Artillerie in den Gärten, nach dieser elenden Nacht früh raus und alles vergessen in der Sonne und diesem Glanz in den Gärten, Gärten unten in der Ebene, Straßenbahnen in den Gärten, eingeplante Gärten, das Wiedererkennen der Gärten, langsam verschwindende Gärten.

Wenn es nichts zu bauen gibt, wird eben wieder abgerissen.

Ab heute singt in der Baukolonne keiner mehr; ab heute hat die Baukolonne einen Recorder auf dem Dach der Baubude stehen, und die ganze Sozialhilfe-Siedlung aus den späten zwanziger Jahren hat ihre Freude an den Stimmen von Peter Alexander, Roy Black, Heintje und Billy Mo. Sowohl die Terrorangriffe der Anglo-Amerikaner wie die Kämpfe um die Verteidigung der Stadt im März 45 hatten die bescheidenen, hübschen Häuschen der Siedlung unbeschadet überstanden. Daher wirkt sie so sanierbedürftig jetzt. Daher wird jetzt saniert. Ein Anfang ist gemacht. Alter Kram alles.

Bruge, Brughe, Bruche, Brucge, Brucghe, Brügge, Brugghe, Bruggen, Brug, Brugh, Brugk, Brugkh, Brucken, Bruick, Bruicken, Breuck, Broeck, Brügk, Brügkh, Brueck, Brükken, Brück.

So ist der Name des Ortes ein Beispiel für die Veränderungen eines Ortsnamens im Verlaufe der Geschichte eines Ortes. Wir wissen zwar nicht ob endgültig, aber vorerst heißt der Ort als Vorort unserer rheinischen Metropole Brück, welcher Name insofern auf die Lage des Ortes verweist, als er die Erinnerung bewahrt an den Verlauf eines alten rechtsrheinischen Rheinarmes, der in prähistorischer Zeit sich unterhalb der Stadt Beuel vom Hauptarm abzweigte und über Wahn, Eil, Marhausen, Heumar, Merheim durch das Wiesen- und Sumpfland der Ebene floß. Daß einmal einst die Gegend lauter *Bruch* war, dessen pappelnüberrauschte Reste im sogenannten Merheimer wie Brücker Bruch noch heute besichtigenswert sind, und zum andern das Gewässer des Altarms eine *Brücke* überspannte, äußert sich noch in den jeweiligen Schreibweisen des Namens unseres Ortes. Der Baedeker nennt dieses Kaff heute einen modernen Wohnvorort. Rektor Bendel hebt in der Beschreibung und Geschichte, den Sagen und Erzählungen des Landkreises Mülheim am Rhein das altertümliche Aussehen des Dorfes hervor. Das muß vor 60 Jahren gewesen sein, in welcher Zeit die Einwohnerzahl 1117 betrug. Im Jahre 1773 hatte es in 85 Wohnhäusern 430 Einwohner, im Jahre 1846 in 127 Häusern 820 Einwohner. Historischer Hintergrund: der Rittersitz des Geschlechtes Brugge. Folgen wir Rektor Bendel: Die *Brucgerstraiße*, so geschrieben in dem Weistume von Deutz 1386, war im Mittelalter ein wichtiger Verkehrsweg. Er vermittelte den Übergang von der Rheinebene über sumpfige Altwässer des Rheins nach dessen östlicher Uferlinie, dem *Mauspfade*. Vom Mauspfad lesen Sie, liest Du später mehr. Zum Schutze der Straße entstand schon frühe ein Herrensitz, Brügge im heutigen Dorfe. Die Erinnerung an diese seine *strategische* Bedeutung bewahrt heute noch der Name der dortigen Flur *am Clausenberge*, die Stelle einer alten Wallbefestigung. Die spätere Burg soll nach der

Überlieferung am westlichen Ufer des Bruches gelegen haben, etwa 200 Meter südlich von der jetzigen Brücke über den Flehbach, doch sind Spuren dieser Anlage nicht mehr vorhanden. Da haben wir herumgesucht: und sind auch nicht mehr aufgetaucht. Und wie war das nun mit dem Rittergeschlecht? Ja. Wie die anderen Rittersitze in unserer Gegend, zum Beispiel Flittard, Stammheim, Merheim, Wahn, so hat auch Brück einem Bergischen Geschlecht seinen Namen gegeben, dessen Angehörige im politischen und religiösen Leben ihrer Zeit eine Rolle gespielt haben. Die Nachkommen dieses Geschlechtes breiteten sich weithin aus, zum Beispiel nach Cöln und nach Bayern, wo die *Freiherren von Brück* noch heute, also im Erscheinungsjahr der Bendelschen Chronik: 1911, ein blühendes Geschlecht bilden. Auch nach Mülheim am Rhein kam eine Linie des Geschlechtes und war hier in hervorragenden Stellungen als Hofbesitzer, Pfarrer, Schöffen, Geschworene, Kirchmeister und selbst als Bürgermeister tätig zum Wohle der Stadt. Die Stadt Cöln gemeindete die Stadt Mülheim am Rhein im Jahre 1914 ein; Yo fuhr zur Schule nach Mülheim. Weiter. Der sogenannte Brücker Hof. Bitte sehr, Herr Rektor Bendel: Ja, zu dem Herrensitze Brück gehörte auch der noch bestehende große Hof, Brükker Hof, Brücker Gut oder Graevenhof genannt. Er liegt am Mauspfade, und die *Hofstraße* führt heute von der Hauptstraße zu ihm hin. Warum verzeichnet der heutige Stadtplan diese Namen nicht mehr? Der heutige Stadtplan hat mit den Anfängen dieses Jahrhunderts nichts Gemeinsames mehr. Zurück, zurück. In ältester Zeit war der Graevenhof ein Königshof und hatte die Aufgabe, für die Bedürfnisse der Hofhaltung in der Deutzer Pfalz zu sorgen. Hier saßen die Beamten des nahegelegenen Königsforstes, die mit dem Edelhofe Brück belehnt waren. Später kam er in die Hände der neuen Landesherren, der Grafen von Berg, und nach ihnen erhielt er nun den Namen

Graeven- oder *Graefenhof*, der ihm bis heute verblieben ist und der ihn von anderen Gütern des Dorfes, vom Gropperhof, Münsterhof, Markshof, Steighsgut, Schulteisgut unterscheidet. Im Jahre 1130 kam der Hof wahrscheinlich in das Eigentum der Abtei Altenberg, doch schon 1273 kaufte ihn Herzog Adolf V. von Berg zurück, und nun blieb er bis ins 18. Jahrhundert hinein im Besitze adeliger Familien. Im Jahre 1473 nämlich kaufte ihn Berthold von Plettenberg für 400 Goldgulden, 1554 ist der Komtur von Herrenstrunden 'Herr von Brück, 1580 Wilhelm von Lülsdorf, dessen Familie ihn aber nicht lange besaß. Die folgenden Besitzer sind bis zum Jahre 1829 nicht bekannt. Von 1829 bis 1843 besaß ihn Viktor Bürgers zu Cöln, von 1843 bis 1903 die Familie Hoven, nach der die Hovenstraße benannt ist. Darauf erwarb ihn die Armenverwaltung der Stadt Cöln zum Preise von 170 000 Mark. Spazieren wir mal hin? Frisch blondiert und seit ihren herrlichen Ferien in einem südfranzösischen Club Mediterranée zart gebräunt verläßt die schöne Frau Polly den Schalterraum der Städtischen Sparkasse. Da trifft sie auf der Straße einen Kunden, der in ihrem Tabakwaren- und Zeitungs-Geschäft regelmäßig seine schwarzen Filterzigaretten und ein deutsches Nachrichtenmagazin kauft. Guten Morgen Madame. Ah guten Morgen, was er denn am frühen Vormittag schon unterwegs sei? Ach, er sei so ein bißchen auf den Spuren der lokalen Geschichte. Wie bitte? Doch, sie habe richtig gehört, da gebe es sogar noch was zu besichtigen. In diesem Kaff? In diesem Kaff. Also in *diesem* Kaff würde *sie* rein *gar nichts* interessieren. Das sehe ihr auch ähnlich. Wie bitte? Ja, diese Pony-Frisur stehe ihr ganz ausgezeichnet. Wirklich? das sei nämlich nur so eine Ferienlaune gewesen, aber trotzdem, na ja, im *Gaucho* vergangenen Samstag sei ihr ein Chilene fast bis auf die Toilette nach, also *das* sei ihr ja auch noch nie passiert. Da solle sie sich mal nicht wundern. Wieso nicht? Na, das sei doch gar keine Frage. Was sei gar keine Frage? Na, zum Beispiel er: da stehe er jetzt schon den halben Vormittag mit ihr herum und vergesse völlig dabei, daß er ja eigentlich auf den Spuren der lokalen Geschichte sei. Da sei er wohl leicht abzulenken. Na ja, das käme auf den Anlaß an. Na, sie könne ja ein Stückchen mitkommen, wenn's nicht zu weit sei. Nein, das sei gleich um die Ecke da, wo man heute vom historischen Gräfenhof zwei im Rechteck zueinander stehende Gebäudeflügel findet, ihnen gegenüber, um das alte Hofgelände herum, die gläsernen Bungalows der neuen Volksschule und der Städtischen Kindertagesstätte. Ist das alles? Mehr historische Lokalitäten sind in unserem modernen Wohnvorort aufzuzählen; na wie wär's? na dann, dann bis zum nächsten Mal.

Wer war denn nun alles da?

Dieses tickhafte Augen-Reiben, bis die Augen ganz rot sind. Diese Hallo-wie-geht's-denn-Begrüßung. Ein vernichtender Blick über den Rand des Glases voll mit Gin-Tonic. Längeres Klatschen auf einen Schenkel. Der langwährende Niesanfall. Der von Niesanfällen fortwährend unterbrochene Versuch einer Erklärung, daß es sich nicht um einen Schnupfen handelt, sondern um ein Erbteil. Diese Kiste voll mit Stock-84-Flaschen. Neue Eifersucht schon wieder. Ja wer kommt denn da noch? Dieser Hemmschuh. Mittendrin dieser Champagner. Ein neuer Lachanfall. Eine endlose Diskussion über eine Diskussion, an der keiner teilgenommen hat. Wer telefoniert da eigentlich ewig? Wer hat sich da im Badezimmer eingeschlossen? Eingeschlafen? Eine immer auffälliger werdende Gleichgültigkeit. Eine zu dritt mißlungene Glückseligkeit. Dieser Ausbruchsversuch und dieses Winseln um Verständnis. Eine noch auffälliger werdende Gleichgültigkeit. Dieses Opfer einer Selbsttäuschung. Dieses Warten, daß irgendwas Entscheidendes noch passiert. Das Bemühen, in keinem Fall diese Blöße zu zeigen. Plötzlich eine neue Welle von Fröhlichkeit. Überraschend kreist eine Platte mit belegten Brötchen. Du bist ja wieder völlig beschickert. Die Ersten sind schon unauffällig gegangen. Irgendwo soll noch eine andere Party mißlungen sein. Im Morgengrauen wird ein gemeinsames Frühstück beschlossen. Wieviel Leute sind denn das? Du hast wohl ganz vergessen, was du alles wieder angestellt hast. Das sind nicht meine Haare auf diesem Kissen. Das ist kein Grund, einfach aus dem Haus zu laufen.

Das Wetter.

Die schreckliche Dramaturgie der Träume läßt alles Außerordentliche zu, so daß die fallenden Kisten und rollenden Koffer offenbar auch zu einer Handlung gehören, in der es bis zum plötzlichen Auftreten der Fall- und Rollgeräusche nur um die ziemlich versauten Waschräume einer Art von Schulheim gegangen ist; es muß sich dabei um das College in Pencey/Pennsylvanien gehandelt haben, aus dem Holden Caulfield herausgeflogen ist in dem Roman von J. D. Salinger. Das Vergebliche einer Anstrengung, wohl des Versuches, an irgendein Ende des Waschraums zu gelangen, macht den Traum langsam kaputt, indes die fallenden Kisten und rollenden Koffer weiter ein gewaltiges Getöse machen. Da wird es blendend hell im Waschraum, und er fährt hoch im Bett: der Knall! hat's eingeschlagen? gottlob schon rauscht der Regen. Einige ernstzunehmende Zeit hat er verbracht, wo väterlicherseits die Familie herkommt: aus einem rheinisch-bergischen Dorf, weshalb er ganz automatisch aufspringt und langsam wachwerdend es zwar nun zu lächerlich findet, eine Kerze anzuzünden, was der Aberglaube nämlich den Vorfahren vorschrieb, das Fenster im Living-Room aber doch zumacht und Schnur und Antennenstrippe vom Fernseher rauszieht. Ausläufer eines atlantischen Tiefs greifen rasch aufs Festland über. In der kommenden Nacht gebietsweise Gewitterstörungen. Am folgenden Tag Temperaturrückgang und weiterhin Neigung zu Gewittern und Schauern. Er kann nun nicht mehr schlafen in der Nacht, aber wachliegend kann er auch nichts anderes als warten, daß dieses Wachliegen aufhört. Abwechslung bringt das Heransirren einer Mücke; frustrierend bleibt der Kampf gegen sie. Reiterscharen ziehen draußen an den Fenstern vorbei; die kalten Schultern hüllt er in das Fell, und die Hitze wird schwer erträglich. Die Erwartung der nächsten Salve; in voller Panik werden die Häuser von allen Möbeln gleich durch die Fenster hinaus entleert. Wach wird er am späten Vormittag mit einem verrenkten Hals. Und er weiß, daß er den ganzen Tag dumpf dahinbrüten wird. Diese Stadt ist die schwülste Stadt in ganz Deutschland, aber er sagt immer zu Leuten, die ständig herumräsonieren, daß diese Stadt nur einen einzigen, nicht wiedergutzumachenden Fehler hat, nämlich daß sie keine Stadt an der Küste ist. Grandioses, grauschwarzes Gewölk hört nicht auf, den Tag grau und schwarz zu verfinstern. Aktivitäten völlig ausgeschlossen. Vorhersage bis morgen abend: stimmt zwar auch nicht, weil ganz sicher ein überraschender Hochdruckkeil über der Biscaya und so weiter, aber nicht mal aus rechtsgerichteten Kreisen kommt Verlangen nach Gegendarstellung, denn die Objektivität der Wetterkarte aus Frankfurt verzichtet nicht auf die schlesische und pommersche Heimat; Frage bloß: warum protestiert denn niemals die ostpreußische Landsmannschaft gegen die Ausklammerung ihrer weiten, wunderschönen Landschaft? Frost ist etwas Russisches. Regen ist etwas Englisches. Sonne ist etwas zum Faulenzen, wie es die vollbeschäftigten südlichen Gastarbeiter unter hiesigen Wetterbedingungen glatt verlernen. Wenn nur dieser Druck im Kopf etwas nachließe, damit das Denken in Gang käme und diese plötzlichen Schweißausbrüche, diese Anwandlungen von Ohnmacht, diese dauernden Depressionen rationalisierte. Denn dieser Luftdruck ist systembedingt. Oder hattest du gestern abend den Kanal schon wieder voll. Also, diese Ausflüchte ins Private muß man entlarven als die Alibis einer Gesellschaft, die das Private in der Förderung des Eigenheimbaus institutionalisiert und damit einen weiteren Fortschritt in der Eindämmung des allgemeinen Unbehagens auf raffiniert legalistische Weise erzwungen hat. Ganz ernsthaft. Denn wo gedeiht die sozialistische Organisation der Arbeiter und Bauern: im klaren Klima der Mark Brandenburg. Und von wo aus wallen die republikanischen Vernebelungen und Verschleierungen auf: aus den Nebeln und Schleiern des schwülen Rheintals. Also muß man gegen die Bedingungen des Klimas demonstrieren. Ha ha: da lacht das ontologische Schwein. Wetter-Otto meint: Wetter-Otto kann da nicht mitreden. Weiterhin Schauer. Da Sommerzeit ist, ist keine Zeit für Gemütlichkeit in warmen, dämmrigen Zimmern; Gemütlichkeit findet erst wieder statt ab Herbst, im Winter, wenn's schneit, im Schnee. Er starrt durch die offenen Terrassentüren hinaus in das, was kein Park in einem Sanatorium ist; er hört keine auf- und abrauschenden Klaviere; er versinkt nicht in dem, was als Stimmung ihn dem Sozialtag zu entrücken vermöchte: er empfindet rein gar nichts. Kann denn Wetter eine solch abstumpfende Wirkung haben? Tiefdruck macht kontaktarm. Tiefdruck macht inhuman. Tiefdruck ist antidemokratisch. Wenn aber muffiger Stumpfsinn langsam einer knurrenden Mürrischkeit weicht, dann ist das, als lockerte sich der zementierte Einheitshimmel auf in ziehendes, dunkles, hin und wieder drohendes, aber in Ansätzen doch versöhnliches Gewölk. Na also. Wann wirst du also wieder endlich lachen und fröhlich sein wie einst? Wenn Schlafen Spaß gemacht hat und das Wachwerden kein zäher Trouble ist mit den Biestern und Geistern und beschissenen Dämonen in der Traumarbeit. Wenn hinter den violetten Schlafzimmervorhängen kein Himmelgrau den Entschluß rückgängig macht, ratschdich die Vorhänge aufzuziehen. When my baby smiles at me. Wenn. Und wenn. Wenn aber die Bedingungen einer Laune so sehr abhängig sind von äußerlichen Bedingungen, so könnte deren fortwährende Beobachtung und der Versuch ihrer Benennung zur Folge haben, daß nicht immer blödes Opfer einer Laune wird und bleibt, wer sie gerade an sich selber oder durch andere erfährt. Erduldet. Oder nicht. Lebt duldsam Ihr, sonst! Bleibt es denn nun dunkel heute oder wird es denn noch hell: wahrscheinlich ist wieder keine Entscheidung zu erwarten, weshalb auch dieser Tag sehr bald wie ein Tag vergessen sein wird, an dem das persönliche Befinden und die allgemeinen Zustände nichts hergeben, was als Außergewöhnlichkeit weiter bedenkenswert wäre.

Stellenangebote. Man muß sie täglich lesen.

Nicht viel los am Wochenanfang. Der neue Betriebsleiter ist da. Nach vier Stunden will er alle Maschinenbaumeister sprechen. Die haben alle mit den Köpfen gewackelt und ›langsam, langsam‹ gesagt.
Am Dienstag hat die Chefsekretärin plötzlich Bauchweh bekommen. Der Chefchauffeur hat sie nach Hause gefahren und hinterher den Wagen vom Betriebstankwart

waschen lassen. Wir brauchen einen neuen Programmierer, der nicht über vierzig Jahre alt ist. Gutes Betriebsklima, das sagt auch der Bauführer der Baufirma, die den Bau der neuen Duschräume ausführt. Die Baufirma hat Schwierigkeiten, erfahrene Sanitärmonteure zu finden. Morgen kommen alle Bezirksleiter.
Mittwoch. Alle Bezirksleiter sind da. Die Chefsekretärin liegt jetzt im Krankenhaus, es sieht so aus, daß wir bald eine neue Chefsekretärin brauchen, schlampiger Laden, hat der Personalchef schon immer gesagt. Der neue Betriebsleiter ist bereits angeeckt, nicht nur bei den Meistern, sondern auch beim Verkaufsleiter, beim Leiter unseres Konstruktionsbüros und beim Assistenten des Marktleiters. Das sind alte Hasen. Trotzdem ist der neue Betriebsleiter eine dynamische Persönlichkeit. Der Betriebsgärtner ist schon wieder wegen einer neuen Plastikgießkanne gekommen. Die Tipse im Betriebsrat will plötzlich unbezahlten Urlaub. Blaß sieht sie aus. Die Bezirksleiter-Sitzung hat so lange gedauert, daß die Herren am Abend kaum noch auf ihre Kosten gekommen sein dürften.
Am Donnerstag hat es am Vormittag auf dem ganzen Betriebsgelände gestunken, und am ratlosesten ist der Laborleiter gewesen, mit ihm alle Laboranten. Natürlich haben doch wieder einige Bezirksleiter auf der zweiten Vollsitzung gefehlt, übrigens auch die Sekretärin des Marktleiters, die den ganzen Mittwoch mit in der Sitzung neben dem Bezirksleiter Bezirk Hannover gesessen hat, der sich hat krank melden lassen, aus dem Hotel. Langsam sickert auch durch, daß der Redakteur der Betriebszeitung nun geschieden ist. Wegen eines Aupair-Mädchens, sagt die Leiterin der Betriebskrankenkasse immer. Heute hat es wieder eine Beschwerde über die Fensterputzer-Kolonne gegeben. Drollige Türken dabei. Die Betriebsküche sucht auch schon wieder eine zuverlässige Hilfskraft, nachdem herausgekommen ist, daß die junge Griechin bei ihren

Landsleuten in der Hofkolonne ständig für Zank und Streit sorgt, politischer Sachen wegen, in die sich sonst keiner reinmischt, die aber einfach das Klima vergiften. Natürlich hat es wieder Beschwerden in den anliegenden Wohngebieten gegeben, hübsche Zweifamilien-Reihenhäuser alles, wegen der Stinkerei gestern. Die städtische Untersuchungskommission neulich hat nichts beanstanden können, der Betrieb arbeitet geruchsarm. Freitags lesen alle den Reisewetterbericht fürs Wochenende, einer der jungen Systemprogrammierer meint, dieses verdammte Wochenende könnte schon am Freitag, also heute, angefangen haben. Diese jungen Leute pfeifen schon auf Überstunden, der neue Betriebsleiter ist da ganz anderer Meinung. Er sagt auch, daß der Außendienst reorganisiert werden muß, er hat aber merken müssen, daß das nicht in sein Ressort fällt. Morgen stehen die neuen Anzeigen in der Zeitung. Gesucht werden ein Programmierer, der nicht über fünfunddreißig Jahre alt ist und über eine solide Erfahrung verfügt, eine unbescholtene, einheimische Küchenhilfskraft sowie die neue Chefsekretärin, bis dreißig Jahre, gewandt im Auftreten, verlangt werden Abitur, Fremdsprachen und Erfahrungen in einer gleichgelagerten Position, der Personalchef drängt auf weitere Einsparungen, aber soviel Hände hat keiner, daß er die offenen Stellen alle ausfüllen kann.

Aus der Nachbarschaft.

Wie geht es dem kranken Nachbarn? Woher wissen wir, daß der Nachbar krank ist? Es kommt eine Todesanzeige, in der wir lesen, daß der Nachbar nach langer Krankheit sanft entschlafen ist. Jetzt wissen wir auch, wie der Nachbar geheißen und daß er eine Frau, einen Sohn, eine

Schwiegertochter, einen Schwiegervater und zahlreiche Anverwandte hat. Wir vermuten, daß der Herr, den wir einige Male im Garten des Hauses nebenan gesehen haben, der kranke Nachbar gewesen ist. Jetzt fehlt ein Nachbar, und wir fangen an, in den Gärten Nachbarn zu zählen.

Unbestimmtes, wirksam, in der Nähe.

Näher kommend, sich entfernend, in der Nähe bleibend.
Unter einem vereinzelten Baum, auf einem Feld.
Nicht sehr hell.
Verschiedene Töne, quasi Signale.
Schwankend.
Rauschend; das ist ein Schwarm aufsteigender Vögel.
Wenn etwas einen Schmerz zufügen kann, muß es ein Gegenstand (Geschoß, Stein, Ball), ein Gefühlszustand (Eifersucht, Beleidigung, sinnlose Liebe, Enttäuschung), Krankheit, Feuer, Verlust sein.
Wo etwas mir möglicherweise unangenehmes gesagt worden ist.
Eins dieser Häuser.
Pläne über das Verbindungsstück zwischen Stadtautobahn und Bundesautobahn. Südtrasse oder Nordtrasse. Eingaben.
Ein Hausfreund.
Die Zukunft der Kiefern.
Sirrendes. Vormittags, nachmittags.
Kreidestriche auf dem Bordstein.
Die Leute in den Baracken, die abgerissen sind.
Sandspuren.
Neue Hausfarbe.
Kanalverläufe.
Schloßbewohner. Verschlossener Park.

Wo Erich Schuchardt gemalt hat.
Sagen und Legenden.
Regional bestimmte Kindheit.
In der dunklen Nacht schreiten zwei Frauen auf der Heide dahin und ängstigen die spät wandernden Wanderer.
Ströme von Geruch.
Schützengräben, Schützenlöcher. Trichter.
Der Nebelkater Niff.
Grauenhafte Bauvorhaben.
An diesen Krankheiten ist lediglich zu erkennen, daß der gesellschaftliche Zustand Krankheitskeime produziert, gegen die kein Heilmittel gewachsen ist, so daß erst mit dem Absterben der Gesellschaft auch diese Krankheiten verschwinden werden.
Männer mit Meßgeräten sind unterwegs.
Einige Brummtöne.
Neuerdings steht immer ein alter blauer VW gegenüber.
Ganze Wespenrudel plötzlich.
Munitionsdepots.
Vorschriften für Ernstfälle.
Die Wünsche gleichgesinnter Ehepaare.
Die Termine des Anstreichers und des Schreiners.
Das Alter der Wasserrohre.
Was die Erinnerung findet und was davon in Wirklichkeit niemals stattgefunden oder bestanden hat.

Wollen wir doch einmal sehen, was allen unseren Freunden noch fehlt zu ihrem Küchenglück.

Dies sind die Dinge, und um sie zu benennen, suchen wir die Wörter. Nach positivistischer Sprachauffassung wissen wir dann Bescheid. Der Turmkochtopf. Das Wiegemesser. Ein Satz Tiegel. Der Kohlenkasten. Das Tee-Ei.

Die Feuerzange. Das Reibeisen. Der Kartoffelstampfer. Der Sand. Wenn man jedoch sich fragt, welche Umgebung diese fortsetzbare Aufzählung meint, dann müßte sich die Erinnerung einstellen an die alten Küchen in den alten Mietshäusern aus den zehner, zwanziger und frühen dreißiger Jahren: die Erinnerung meine ich der sogenannten geschichtlich verkorksten und lädierten Generationen an Schillerkragen-Kindheit, Bohnerwachs-Flure, Sonntage am Volksempfänger und die große blonde Persil-Frau auf den Hinterhaus-Fassaden in der Bahnhofsnähe. Die Zuglampe über dem Wachstuch. Der schwarze Holzgriff der Gabel. Zwiebelmuster und die blitzende Stange um den Herd von Küppersbusch. Aber Barbara, Elfriede, Erena und Fanny, Nana, Ursula, Vicky und Wibke wissen mit neuem Küchenbewußtsein neue Wörter und die Dinge zu gebrauchen, welche die neuen Wörter bezeichnen. In bequemer Sichthöhe ist in der Schrankwand der Einbaubackofen mit seinem praktischen Vorwählschalter und Temperaturwähler sowie einer elektrischen Küchenuhr mit Kurzzeitwecker eingebaut. Dies ist nur ein Beispiel, das am Ende des langen Unterwegsseins steht von den offenen Feuerstellen der wandernden Familienstämme bis zu den Anbau-Einrichtungen des Poggenpohl-Programms, zum Beispiel. Noch ein Automatikherd mit Zeitschaltuhr und Kurzzeitmesser, eingebautem Grill im Backofen und heizbarem Warmhaltefach unten. Und wir finden es immer wieder fabelhaft, irgendwohin eingeladen zu werden, wo eine einfallsreiche Küchenpraxis die Voraussetzung ist, daß der Abend dann hinhaut, ganz unvergeßlich. Als Nana zum Beispiel zum ersten Mal mit ihren marinierten Champignons ankam, so ganz nebenbei, zwischen zwei gewaltigen Wodka-Tonic, und Hans legte Sophie Tucker auf, hinreißend, groß. Machen wir jetzt immer nach. Aber nun schauen wir mal ein bißchen desillusionistischer hin. In unserer möblierten St.-Pauli-Dachwohnung zum hanseatischen Mietpreis von DM 350,– mit Blick auf den Pestfriedhof waren bequemerweise Badezimmer und Küche ein und dasselbe dunkle, am Ende meinetwegen gemütliche Kabuff. Mit Frau Hoppenau, Schaustellerin, teilten wir das Klo. Direkt nebenan, und auch das Dunstabzugsfenster war einfachshalber ein und dasselbe. Indessen verlangt das Verbraucher-Bewußtsein einen Fortschritt im Familien-Eßbereich, den wer nun eigentlich hemmt? Da sind noch immer diese verwohnten Altbaukästen mit den riesigen Küchen und den endlosen Korridoren hin zu den Eßzimmern mit Größen für eine ganze Begräbnisgesellschaft, in denen deutsche Hausfrauen von morgens bis abends auf Tour bleiben: zählen Sie mal die täglichen Kilometer zwischen Herd und Spülstein und Besenkammer und Speisekammer und Küchentisch und Eßzimmertisch. Gewiß, obschon ich einige dieser prächtigen Dinger erhalten sehen möchte vor einem Sanierungsterror, der bloß Platz machen soll für diese Kistenbau-Gesellschaften mit beschränkter Haltbarkeit, die dann, um schön sachlich beim Thema zu bleiben, Küchen nach der Küchennorm mit der DIN-Nummer 18 022 ausführen lassen, was soviel heißt: Das günstigste Angebot, und das heißt: Der die dünnsten Wände hinklatscht, kriegt den Zuschlag und kachelt flugs als sogenannte Hochleistungs-Kleinküche eine Zelle zusammen, die mit ihren sechs Quadratmetern wohl dafür sorgen soll, daß unsere schöngewachsenen Frauen und Freundinnen sich mehr Iß-dich-schlank-Kuren abzwingen zum Zwecke der Anpassung der Figürlichkeit an das Stoßkantensystem solcher Kleinstumgebung. Da wird dann mit einer Laune hantiert, die unser Mann in seinem Miller-Chair mit sechzig Quadratmetern Raum drumherum auf eine Weise zu spüren kriegt, daß er seinerseits auf den Glastisch haut und eine Schimpfkanonade losläßt auf diese gewissenlosen Architekten-Cliquen, die der Profitgier ihrer Bauherren dadurch in die Hände arbeiten, daß sie mit riesigen Lebens-Räumen, deren Ausdehnung dann auf Kosten dieser Karnickelküchen geht, leichter vermietbare und verkaufbare Appartements entwerfen? Nee doch, mein Oller ist ganz froh drüber, weil nämlich kein Platz ist, daß er mal 'n Handtuch in die Hand mit nimmt. Mein Mann ißt sowieso draußen, und wenn er heimkommt, hat er keinen Hunger. Und meiner haßt es geradezu, wenn ich ihm auch noch mit Küchenproblemen komme. Seht Ihr, da haben wir's. Unsere ganzen Rationalisierungs-Experten rationalisieren noch den letzten dreckigen Arbeitsprozeß, oder, oder als, egal, als lohnabhängige Arbeitnehmer haben diese durchschnittlich ganz anständig verdienenden Ehemänner allen Nutzen und Profit vom Rationalisieren und Rationalisieren ihrer Arbeitsplätze, aber, aber, daß an den zweiundzwanzig Millionen Arbeitsplätzen der deutschen Hausfrauen alles im Grunde beim alten bleibt, nein, da bleiben diese Muffels einfach blind. Das Beispiel der SieMatic-Modelleinrichtungen zeigt indessen, daß der progressive Kunde wählen kann, wählen zwischen praktischem Kunststoff und echtem Holz. Zwischen verschiedenen Frontflächenfarben. Zwischen selbstschließenden Türen. Gleitenden Auszugschränken. Rollenden Arbeitswagen. Kurzum – langsam, langsam. Denn wer zahlt denn das, wo der Herr des Hauses der Herrin des Hauses vorrechnet, daß sie Kost und Logis umsonst bei ihm hat, daß sie gewaschen, gekleidet, geschminkt und frisiert wird doch allein von seinem Gelde, welches in solchem Maße er nimmer zu erschuften vermag, daß auch der letzte Slogan schöner bewohnte Wirklichkeit werde. Und wenn schon auch, wenn unser Haushaltsvorstand von der finanziellen Seite einmal her gesehen nicht wahr, dann stehen besagte sechs Quadratmeter einer vollwirtschaftlich organisierten Küchenarbeitsweise schon darum im Wege, weil von den dreihundertfünfundsiebzig Einzelteilen, die nach den Ermittlungen der Höheren Fachschule für Hauswirtschaft in

Hamburg in die Küchenpraxis hineingehören, zum Beispiel die Trittleiter, der Wäschekorb, das Bügeleisen, das Bügelbrett, das Ärmelbrett, der Dampfdrucktopf, der Tiefgefrierer, die Waschmaschine, die Trockenschleuder, ganz abgesehen von den Luxusartikeln einer Eßbar, einer Spülmaschine oder eines Fernsehers des Koche-mit-dem-Fernsehkoch-Programms wegen, gar nich reinpassen mehr, nich? Ach was hatten wir doch wenig Sorgen, jedenfalls solche des höheren Standards nicht, als wir noch nisteten zwischen den Baracken in den Zollstocker Gärten am Bahndamm: zwischen den Pappeln weiß das Gartenhaus, Zimmer mit Stall, Küche genannt, und drin auf purer Erde Tisch und Schrank von 1928 und noch die Glassplitter drin von einer vierundvierziger Bombennacht, vom selben Jahrgang der Sparherd, als Küchenbank die ausgehängte Stalltür, zwei Puppenfenster mit Blick ins Hühnergehöft, wenn's hochkam dann ein Spiegelei mit Tee im dritten Aufguß, Mauselöcher zu Füßen, Regen durchs Pappdach, massenhaft Spinnen und viel Bedenkenlosigkeit . . ., weißt du, mit sowas in der Erfahrung kann ich ganz kalt bleiben, ehrlich, im Kampf und Wettbewerb, und wie es heißt, um Kunden mit rechtem Konsumbewußtsein, aber völlig fassungslos kann ich auch dastehn, plötzlich, und ich begreife nicht die Existenz eines Tiefkühlfaches. Denn dies ist ein Wunder. Und die Dunstabzugshaube ist ein Wunder. Und der Infrarotgrill ist ein Wunder. Staunt denn da keiner mehr? Die Anbetung des Komforts führt zu einer unkritischen Haltung gegenüber einer Gesellschaft, die sich ihren Komfort leistet auf Kosten, ratet mal, wessen? Auf Kosten da unten der dritten Welt. Tina wünscht sich einen Elektro-Quirl. Gundel sucht noch einen passenden Entsafter. Elga braucht auf der Stelle einen automatischen Dosenöffner. Dies ist der Allesschneider. So sieht ein Messerschleifer aus. Da haben wir den Filterautomat. Habt ihr auch einen Filterautomat? Hier ist das Elektromesser.

Die Zitruspresse ist nicht weit. Wörter sind genügend vorhanden, und Gegenstände sind genügend vorhanden, und Wörter brauchen wir nicht, und der Umgang mit den Gegenständen lernt sich flugs und fast von allein.

Ruhiges Wohnen gehört mehr und mehr einer Vergangenheit an, in der die Städte so laut waren, daß man sich nach der Ruhe sehnte in der Vergangenheit.

Aber von den ganz alten Leuten ließ man sich noch erzählen aus dem schlimmen Hungerjahre, als es in die Lande kam und großes Elend brachte in das Land. Es war das vorhergegangene Jahr, in welchem nämlich gar nichts wuchs und welches dadurch trug die Schuld an dieser Hungersnot. Denn die Frühlingsmonate dieses Jahres waren ungewöhnlich trocken und kein Regen fiel von März bis Mai. In seiner Not ward das arme Landvolk unruhiger und unruhiger, und weil man auch suchte nach menschlicher Schuld, fand man so die glücklichen Ziegelbrenner, die dieses Wetter lobten, weil sie daran ihren Nutzen hatten. Doch die Ämter und Behörden nahmen sich der Bedrängten an und teilten Spenden aus den Vorratshäusern aus, und auch in den Kirchen wurden unaufhörlich Bittgebete gehalten um endlich gedeihliche Witterung; Prozessionen zogen Tag für Tag über die dörrenden, durstigen Felder und Wiesen. Da, endlich, Mitte Mai, kam wie aus heiterem Himmel der ersehnte Regen, und es begann nun zu regnen, Tag um Tag, den Mai und den Juni und Juli hindurch. Jedoch, die Not der Leute im Land, sie ward nun immer ärger. Denn erst um Allerheiligen ließ die Gewalt des Regens nach, aber auch nur darum, weil kurz und plötzlich der Herbstfrost kam, so daß auch noch die wenigen Karoffeln im Acker rasch erfroren, und dann ging es wieder klatsch klatsch den ganzen Herbst und Winter hindurch. Ahnt ihr die Not? Die Keller und Speicher, die Ställe und Scheunen der Landleute waren leer und blieben leer, und so kam nun das Jahr, das schlimme Hungerjahr, in dem die armen Leute Halm und Gras, Kraut und Wurzeln, alles was nur grün war, auf Äckern und Wiesen, im Wald, an Hecken und Zäunen suchten, kochten und mit heißem Hunger verzehrten. So groß war die Hungersnot, daß die ganz alten Leute immer wieder davon erzählten.

Unterwegs. Auf auf und davon. Wir reiten auf der Reisewelle. Und daheim daran denken, daß draußen die Momente wirklich gewesen sind.

Sieh mal. Schrick nicht zurück vor diesem Feriendorf. Man fühlt sich dort weder wie in den Ferien noch wie in einem Dorf. Es ist ein unvorstellbar anderes Leben. Der Sand am Abend violett. Es ist kein Glück, immer allein zu sein, einsam zu schwimmen und essen zu gehen, solo zu schlafen und aufzuwachen. Nicht nur Muscheln findet man, wenn man Muscheln suchen geht. Im Transistor hören wir deutschsprachige Sendungen, aber niemand zwingt einen dazu. Überhaupt ist niemand da, der einen zu etwas zwingen möchte. Da ist ja niemand, der nicht endlich einmal ungezwungen, ja was alles: *sein* möchte. Denkst du das nicht?

Oft wird es nicht vorkommen, aber immerhin, es könnte einmal vorkommen, daß jemand auf den Gedanken kommt und sein Baby mit nach Israel nimmt.

»Der Saal von liebe und Psyche Giulio Romano Pasiter

das geht in die Holz von Deolo gebanen Kuhe zum der Stier bedeckt sein.«

Weil dieser Tag ein schöner Tag sei: sagte der alte Freund V. zwischen Vohwinkel und Opladen im Bummelzug einst. Weiter bemerkte er eine Straßenbahn, die durch ein Kornfeld fährt. Laternen im Kornfeld: bemerkte sein alter Freund, später, viel später. Lauter Provinzler unterwegs in die Provinzstadt. Damals war die Zeit, als sie lauter typographische Gedichte auf den Mauern und Reklameflächen entdeckten und lauter Gedichte kombinierten aus den Buchstaben in der Landschaft, in der nichts mehr an die vergangenen militärischen Operationen erinnerte. Heute sehen sich die alten Freunde selten. Eine Reise würde nichts ändern.

Nora stand nun auf dem Bahnsteig, nervös zwischen den vielen Menschen, nervös über die Köpfe blickend und Ausschau haltend nach Helen im roten Ledermantel. Helen saß indessen in einem BMW 2000 und wurde durch die nordfranzösische Landschaft gefahren, mit Netzen und Plastic-Beuteln voller Artischocken, Maiskolben, ovalgewachsener Tomaten, Zucchini, Chicoreesalat, Auberginen, Roséwein, Weißbrot und Gitanes Bout Filtre. Nora war nicht mehr beunruhigt und freute sich. Helen dachte an die vergangenen Abende, als sie die beiden Jungens aus Philadelphia getroffen hatte, immer den Kopf voll Hasch.

Unten war das graue Geriffel des Meeres. Unten waren die weißen Linien des Sandes. Unten waren die Ballungen der Wolken. Unten war das Grün, Gelb und Braun der Rechtecke der Felder. Unten war das Sumpfland von Florida. Unten war eine tiefer fliegende Turboprop-Maschine. Unten war nichts zu sehen. Unten war endlich, was man auf tausend Abbildungen vom Grand Canyon gesehen hatte.

Unten war schon Nacht. Unten waren die Produkte der Kehrseite der Zivilisation. Unten war ein mögliches Zielgebiet. Unten war nicht das Gefunkel der westdeutschen Dörfer auf dem abendlichen Flug von Wahn nach West-Berlin. Unten war die Kraft, die uns hindert, immer oben zu sein. Unten war Wüste. Unten war Öde. Unten war Kampf. Unten war der Schatten, den wir unten warfen. Unten war die Gesellschaft. Unten war Frieden. Unten war das Anfangen des Sommers. Unten war Utopie. Unten war die leere Straßenkreuzung in dem Film Der unsichtbare Dritte von Hitchcock. Unten war Wald. Unten war das, was ich unten wiedersehen will.

Neue Betten, Tische und Zelte erwarten uns in der Tschechoslowakei; trotz allem, trotz allem.

Am Sonntag dem 29. Januar 1967 stand eine Hochzeitsgesellschaft vor den leeren Badekabinen auf dem schmalen Strand von Ladispoli.

Und wie es weiterging? Es ging nicht weiter, meine Stute. Denn eben an der Stelle der tyrrhenischen Küste, wo ein Schild nach, ja, nach Miami wies, hörte die Strandstraße auf.

Wir fahren Bahn. Westfalen erwartet uns, zum Bodensee zieht es uns hin, in Bebra steigen wir um, Husum ist nicht weit. Wir speisen und schlafen in der Bahn, rauchend lehnen wir im langen Gang. Eine Bahnfahrt kann aufregend sein, wenn man eine Bekanntschaft macht. Als Herr erklärt man die Gegend, als Dame läßt man sich erklären die Gegend. Wie erklärt man, was es für ein eigenartiges Denken ist, wenn man in der Bahn an die Leute in ihren ruhigen unbeweglichen Häusern denkt? In der Bahn verliert man das Gefühl, immer gebunden und abhängig zu sein; es bleibt aber das Gefühl von Sicherheit, auch wenn man zu allen Abenteuern bereit ist. Die Landkarte in der Bahn zeigt die großen Zusammenhänge. Zähle die Menschen, die Schicksale, die Abschiede, die Wiedersehensfreuden, die Erlebnisse, die Unglücke, die Verspätungen, die Entscheidungen, die Trennungen, die Wartezeiten, die Unruhen, die Genüsse, die alle in diesem Augenblick zu tun haben mit der Bahn. Als wir Kinder waren, war die erste Sensation der Ferien die Bahn. Der Tunnel war endlos. In Gedanken ritten wir auf Pferden über Äcker, Gräben, Flüsse neben her der Bahn. Nachts hörten wir das nächtliche Rauschen. Wir sparten und sparten, um zur fernen Jugendliebe zu fahren mit der Bahn. Die Ziege ist vorm Wolf geschützt. Urlaub ist überall. Der Nebel hat uns nichts an. Das ärmste Land hat für den Ärmsten noch die Bahn. Der Reiche wird nicht reicher in der Bahn. Der Gesunde bleibt gesund. In jedem Dorf steht jemand und winkt, und soviel Fernweh, Heimweh, Sehnsucht, Kummer und Enttäuschung er hat, er ist nicht ausgeschlossen von der Bahn. Schimpfen darf jeder, kein Schaffner ist bewaffnet, Köche und Kellner werden nicht seekrank. Die Alpen. Der Harz. Die Eifel. Die Rhön. Das ganze Ausland, in das fährt die Bahn, aus dem fährt sie zurück, heim, wo immer das ist. So sind und bleiben, so denken, reden und handeln wir für die Bahn.

Ginster in Kalifornien als schottischer Besen.

Du Unruhiger, du Umherschweifender, du Nirgendwoesaushaltender, du immer Fliehender, du plötzlicher Gast.

200 Elefanten sind nur hin und wieder angriffslustig. 150 Wasserböcke lassen sich ohne weiteres fotografieren. 14 Nashörner greifen nicht ungern die Landrover der Touristen an. 350 Flußpferde verschwinden rasch unter Was-

ser. 180 Giraffen sind nicht zu übersehen. 3 seltene Leoparde, nur 2 Krokodile.

Sieh doch, da, wo uns ein erstes Hotel willig und verschwiegen aufgenommen hat, wo die Bauernhäuser rot und schwedisch geworden sind, wo wir in der Strandhütte im Regen Schiffe-Versenken gespielt haben, wo uns Neil Baker das Leben der kalifornischen Waschbären erklärt hat, wo es ein November war in dem alles wieder angefangen hat grün zu werden, wo wir uns auf dem Weg nach Mailand wartend zwischen den Radaumachern in der Kälte eine halbe Nacht auf der harten Bank um die Ohren geschlagen haben, wo uns der sardische Ingenieur vom U-Bahn-Bau im Kölner Dom erzählt hat, wo die Flugzeuge flüsterten weil sie Whisper-Jets hießen, wo wir mit dem norwegischen VW-Bus zusammengekracht sind, wo wir im Straßenstaub saßen und aßen der Via Catania, wo wir Nina über die Grenzen geschmuggelt haben, wo am Gaslight-Square die lesbischen Mädchen angefangen haben zu prügeln, wo wir uns auf die Nerven gegangen sind, wo wir auf den Spuren von Mark Twain gewesen sind, wo wir nach den Birnbäumen des Herrn von Ribbeck auf Ribbeck im Havelland Ausschau gehalten haben, wo in der Bar in der Via del'Oca, wo am hellichten Tag in der Bowery, wo vor lauter Staunen, wo es noch nie, wo Monica Vitti, wo der Lippenstift am Glasrand, wo beinahe, wo es zu spät gewesen ist um noch, wo vor lauter Erinnerung, wo es am Ende so ausgesehen hat als ob doch noch, wo wir glücklicher, wo wir später nicht mehr, wo nämlich gar nichts mehr

Im Wald verschwindende Reiter.

Sinah will jetzt ein Pferd haben. Zwei Hamster hat sie schon. Jetzt will sie ein Pferd haben. Die Wellblech-Garage, leer gemacht, wäre der Stall. Sie drängt. Die Wiese wäre die Weide. Bald wird man ihr ohne Pferd nicht mehr unter die Augen treten können. Der nahe Wald steht voller Reiter. Sinahs helfende Truppe. Die Cartwrights sind auch dafür. Oder Cobra übernimmt die Sache. Nicolas und Inge kämpfen mit dem Rücken zur Wand. Weihnachten rückt näher. An Sinahs Geburtstag hingen sie in den Seilen. Weihnachten hängen sie wieder in den Seilen. Wir wollten Nicolas und Inge beispringen, aber Pipi Langstrumpf hat dann alles zerschlagen. Das Pferd muß her. Und ein Pony, kurzes Verhandlungsangebot, darf es nicht sein. Die Welt sieht diesem stummen Kampf zu. Nicolas und Inge haben noch eine Chance, das heißt, Sinah hat gedroht, daß sie werde den Grafen erobern. Aber der Graf zaudert, der Graf und sein Reitstall. Wie werden sich Nicolas und Inge der Situation entwinden. Wir haben eine Diskussion mit Sinah vorgeschlagen, aber Sinah hat erklären lassen, daß sie werde sich länger nicht verschaukeln lassen. Nicolas und Inge sehen schwarz. Wenn sie nachgeben, wird Sinah neue Forderungen stellen. Sie wird abstimmen lassen, daß ein Pferd nicht genug ist. Sie sagt, daß die Geschichte objektiv auf ihrer Seite ist. Nicolas und Inge bestreiten das, aber ihre Argumente kommen nicht an. Schwache Argumente, auch wir wissen das, ohne es offen zu sagen, neutral wie wir sind.

Geselliges Beisammensein.

Ihr seid meine lieben Freunde, ich bewundere Euch. Ich bewundere Euren Mut, Euren Witz und Eure Aggressivität, Eure Kaminfeuer und Urlaubspläne, ich finde Euch hinreißend in der Sicherheit Eures Auftretens, Eurer Antworten, Eurer Beurteilungen, in Eurem Charme, Eurer Verschwiegenheit, Eurer Gelassenheit, ich bewundere Euren Familiensinn, ich finde es unwiderstehlich, wie Ihr mit Telefonen und Sekretärinnen umgeht, mit dem Tankwart und dem Intendanten, Ihr seid gute Piloten und Taucher, kein Drink wirft Euch um, Ihr seid Feinschmecker, ich bewundere Eure intakten Gehirne, Eure Art frei und sicher zu sprechen, Ihr werdet nie grob, Ihr seid großzügig und manchmal regelrecht verschwenderisch, Ihr seid mit Alka-Seltzer gleich wieder in Form, Eure Skrupel ehren Euch, Eure Rücksicht macht mich verlegen, Eure Ehrlichkeit treibt mir die Röte ins Gesicht, Ihr überzeugt mich, ich lerne von Euch, ich kann schon einen Gin von einem Wodka unterscheiden, ich lerne langsam wie man fliegt und taucht, ich kann schon den Akzent der Bedeutung verschieben, wenn ich schweige, dann nicht mehr, weil es mir die Worte verschlagen hat, wenn ich wegbleibe, dann nicht, weil ich vor lauter Befangenheit nicht unter die Leute gehen kann, ich lerne mein Mienenspiel kontrollieren, Ihr werdet mich nicht wiedererkennen, ich werde bald in der Lage sein, mich von Euch zum Kandidaten aufstellen zu lassen, ich werde schon bald Euer Mann sein und dafür sorgen, daß alles das anders wird, was Euch so verstört, trübe, miese, ängstlich, gemein und grausam macht. Liebe Freunde, seht, Ihr bleibt meine lieben Freunde, und bald brauche ich Euch nicht mehr.

Es ist kein Frieden auf der Straße.

Aus dem Berufsverkehr halte ich mich heraus, denn ich habe keinen Beruf, und ich will auch keinen Beruf haben, weil ich sonst in den Berufsverkehr muß. Dies wäre der Satz von einem, der es sich leisten kann. Von den dreihundertvierunddreißig Automobilisten, die an einem beliebigen Wochentag zur Rush-hour in sechs westdeutschen Metropolen von einem Beobachter-Team, bestehend aus Rallye-Fahrern, leitenden Polizeibeamten in Zivil und Journalisten, als Haltende im Halteverbot notiert worden sind, kann es sich offenbar keiner leisten. Das Risiko, im Halteverbot zu halten, kann indessen sich leisten, der nicht bloß Terminnot, sondern auch'n paar Scheine übrig hat. Ich erinnere mich an die Schemen der Radfahrer, die in einem französischen Film im Nebel aus dem Fabriktor herausgekommen sind, ungenau. Genau wissen wir, wann unsere Fahrräder als Statussymbole gegolten haben, Ende der vierziger Jahre. Warum ich kein historisches Buch einmal schreibe, bin ich gefragt worden, und ich hätte, wenn diese Frage wirklich gestellt worden wäre, geantwortet, daß ich, abgesehen davon, daß ich ein schlechter werdendes Gedächtnis und immer zu wenig Notizen gemacht habe, daß ich die jüngere Vergangenheit am liebsten mit den Schlagern der jeweiligen Saison rekapitulieren würde. Nun sind aber meine alten achtundsiebziger Schellackplatten alle zerbrochen, der Trumpet-Blues zuletzt. In Stuttgart verhalten sich die Radfahrer am bravsten. Warum? Im hügeligen Gelände Stuttgarts gibt es ihrer so wenige. In Frankfurt überqueren einhundertzehn Fußgänger die Fahrbahn, obwohl es das Rot der Fußgängerampel verbietet. Dies wäre ein positives Indiz dafür, daß Frankfurter Bürger nicht jeder obrigkeitlichen Anordnung sich ohneweiteres so fügen, bloß: handelt es sich bei solchem Verkehrsdelikt um wahres aufsässiges Verhalten, und: sind dieselben Zeitgenossen willens und imstande, sich, wie heißt es, zu solidarisieren, wenn die Ordnungsschläger wieder schlagen ordentlich zum Ordnungsschutz? Welche Gemeinsamkeiten kann man zwischen spielenden Kindern verschiedener Generationen feststellen, etwa: wir Kinder bezogen unsere Gefechtsposten Anfang der vierziger Jahre in den beiden Drehtürmen des Erster-Weltkrieg-Tanks im Erinnerungs-Gärtchen der Löberfeld-Kaserne; unsere elektronisch aufwachsenden Kinder, kchch! kchch!, ballern zwischen Phlox und Jasminstrauch erst mal hinter ihren antiautoritären Eltern her. An diesem Wochentag hat in Stuttgart, Frankfurt, München kein Autofahrer verbotenes Einbiegen vollzogen. Das heißt aber: es ist keiner erwischt worden. In Düsseldorf ist das gleich viermal passiert, das heißt: das Erwischen hat auch viermal eine Information produziert. Wird die sozialliberale Koalition im nordrheinwestfälischen Landtag einmal ein Modell sein, das sich auf Bundesebene wiederholen läßt? Ja, wird auf Bundesebene wiederholt, inzwischen. Bald heißt es Abschied nehmen von unserem alten weißen Exportmodell, das ich in einigen meiner Balladen und Sonette mehrmals besungen habe. Früher wurde einmal in der Woche gebadet, der Kopf gewaschen, das Hemd gewechselt; dieses zweimal tägliche Duschen heute wäre im Fachwerkhaus der Großeltern geradezu als Frivolität bezeichnet worden, wenn man das Wort gekannt hätte. Ich will einmal Filmschauspieler werden: sagte der Enkel zur Großmutter. Dann will die Großmutter nichts mehr von dir wissen: sagte die Großmutter zum Enkel. Was ist unserem Verkehrsbeobachtungsteam hinsichtlich falschem Einordnen in den fließenden Verkehr aufgefallen, sagen wir in Hamburg? Neun Delikte. Fast jedesmal schwer verkatert bin ich in Sankt Pauli in den Fahrunterricht gegangen, am Morgen nach solchen unterirdischen Nächten. Hans Stahl befand sich hinter seiner Theke ganz wie'n Käpt'n. Dem Team vom NDR brachte Hans Stahl wahrhaftig eine Flasche Haidmärker raus, als es gedreht hatte in *Becker's Passage*. Entscheidend ist, was in den Momenten des Schreibens der Schreibende in seinem Bewußtsein wahrnimmt, und zwar innerhalb des Zusammenhangs, der in den Momenten des Schreibens entsteht. Du bist das reinste Medium, sagte Klaus, ein Hausfreund. Kein Radfahrer blokkiert in Köln an Ampeln Autokolonnen. Acht Radfahrer fahren in Köln auf hellichter Straße nebeneinander her. Meine Liebste nehme ich auf die Stange und fahre mit ihr in den Wald. Es sind die grauenhaften Wörter, die uns nicht mehr lange sagen lassen, was wir denken, und die uns nicht mehr lange zuhören lassen, wenn wir fortfahren mit den grauenhaften Wörtern zu sagen was wir denken. Nichtanzeigen der Fahrtrichtungsänderung durch insgesamt siebenunddreißig Autofahrer in sechs westdeutschen Großstädten. Woran hat wohl jeder der Delinquenten im Augenblick des Deliktes gedacht? Welcher war der Anlaß seiner Abgelenktheit? Niemand ist derart an öffentliche Belange engagiert, daß er nicht Anspruch haben dürfte auf Privates. Darf der Anspruch des Privaten so weit gehen, daß öffentliche Belange einfach vergessen werden: Ich bin mein eigenes Sonnensystem; du hast vergessen, daß du gebraucht wirst; er macht ja doch was er will; wir erheben Einspruch dagegen, daß die Südtrasse des Zubringers an unserer Wohnsiedlung vorbeiführen soll; ihr verbraucht mehr, als es euch euer Gewissen erlauben sollte; sie sind am Ende alle drauf gegangen, obschon sie gewußt haben, daß es sich gar nicht mehr lohnt. Schließlich ist auch vorbildliches Verhalten notiert worden, etwa: neunzehnmal rücksichtsvolles Verhalten gegenüber Fußgängern, zweimal Hilfsbereitschaft gegenüber älteren und gebrechlichen Personen sowie Kindern, zwölfmal freundliches Handzeichengeben, siebenundzwanzigmal Einfädeln und Verflechten lassen an einem Wochentag in den sechs größten Städten unseres unglücklichen, revanchistischen, schönen, städtebaulich zerstörten, fleißigen, unselig veranlagten, falsch erzogenen, gewalttätigen, gemütlichen, sauber gekehrten, Hoffnung machenden, zur Verzweiflung bringenden, Heimweh erzeugenden und in die Flucht jagenden, alten, tapferen, geteilten, gefährlichen, dummstolzen, ungerecht behandelten, geschmacklosen, untertänigen, geistfeindlichen, verkehrsbedrohten, reformierbaren, schwer verstehbaren, leicht angreifbaren, sentimentalen, trinkfrohen, ungeliebten, umworbenen, geschäftstüchtigen, labilen, stabilen, bauernschlauen, groben, altmodischen, tierliebenden, reisefreudigen, leidensfähigen, hügeligen und flachen Landes.

Freizeit-Räume haben ihren Sinn, wenn Freizeit-Nehmer wieder erleben, was Natur ist.

Sind wir Picknick-Typen? John und Mia, Harald und Lucie, wir sind Picknick-Typen. Rote Tomaten, eingelegte Gurken, hartgekochte Eier, gelben Kartoffelsalat und krachfrische Brötchen, Stullenpakete, Würstchen und Steaks, Kaffee und Tee in den Thermosflaschen, die Schachteln Dosen Dortmunder, die Flaschen Alter Klarer, Zitsch für die Kinder, Tischtücher und Papierservietten, Plastikteller, Gabeln und Messer, das Grillgerät, Klapptische und Klappsessel, Decken, Handbälle und Federballspiele und weiter alles, was der Phantasie gefällt: wir packen es in unsere Landwagen und brausen los hinaus ins Land an einem sonnengoldenen Samstag. Hier, wo die Natur noch die Natur ist, baut John auf einem alten Mühlstein das Grillgerät auf und beginnt zu grillen. Mia und Lucie entleeren die Picknick-Koffer von Karstadt mit kompletter Ausstattung für sechs Personen für 49 DM. Harald, über die Hügel blickend, denkt an Planung, Termine und Kosten des neuen Herstellungsprogramms und will heute nicht diskutieren. Wir werden heute nicht diskutieren, hingelagert auf Decken und Luftmatratzen im Grill-Duft und kreisen lassend Alter Klarer und Dosen Dortmunder. Frankie ist Indianer. Boris ist Cowboy. Nach langen Verhandlungen. Jetzt entbrennt der Kampf um das Wäldchen. John und Harald sind verwickelt in die Einteilung der Termine und Kosten des neuen Herstellungsprogramms und lassen Dosen Dortmunder kreisen, und Frances will Federball spielen mit Ringa, die aufs Wäldchen mitreiten will und von den Cowboys nicht akzeptiert wird. Wo ist Lucie? Lucie zeigt Kai Natur. Mia entdeckt Büchsen mit Würstchen neu und kann keine Würstchen mehr vertragen. John grillt neue Würstchen und macht neue Holzkohlensäcke auf. Harald reißt neue Dosen Dortmunder auf und wir wollen nicht diskutieren und werfen Handbälle ins sturmreife Wäldchen. Auf all diesen Hügeln werden wir in einigen Jahren in neuen Schlafstädten schlafen, denken wir, in Liegestühlen liegend, im Duft des Gegrillten, im Kampfgeschrei, und wir hören auf zu denken aufspringend und Federball spielend. Ringa wirft Boris einen Handball an den Kopf, aber der Cowboy wird daraufhin nicht lange fackeln. Kai fällt in Brennesseln und wird vorläufig mit Brüllen nicht aufhören. Lucie und Mia spielen Federball; Frances weint: warum keiner spielt Federball mit Frances; wir spielen alle mit Frances Federball. Wo ist der Zitsch? Der Zitsch ist alle als Inhalt und liegt als Form leer in Brennesseln. Das frivolste Picknick wurde 1863 auf Leinwand von Edouard Manet arrangiert: mit einer nackten Beauté und zwei eleganten Herren. Es ist noch da: Kartoffelsalat, eingedrückte Eier, eingedrückte Tomaten, Dosen mit Würstchen, Stullenpakete die wir früher Hasenbrote nannten, eingelegte Gurken, Kaffee und Tee, Brötchen weichgewordene, Holzkohle. Der Cowboy macht sich über sein Steak her und behält die Wälle des Gegners im Auge. Der Indianer lauert im Hinterhalt der Waldgebiete, die vollgestreut sind mit aufgerissenen Dosen Dortmunder. Mia schlägt Lucie. Harald ist eingeschlafen. John ist eingeschlafen. Alter Klarer liegt in Brennesseln, und Mücken setzen sich auf Haut. Der Kampf entbrennt aufs Neue. Handbälle auf Köpfe. Putzmunter entdeckt Mia Alter Klarer und schlägt Lucie, die mit Kai in Natur geht. Stille. Der Indianer und der Cowboy haben sich das Wäldchen geteilt, und nicht für immer wohlgemerkt. Die Sonne sinkt und jenseits des Tales standen ihre Zelte, seltsam steigt der Nebel. Auf. Auf. Frances will Federball spielen. John und Harald spielen im aufsteigenden Nebel Namen, Daten und Zahlen rufend. Plastikteller fehlen, Besteck fehlt, Handbälle fehlen, Tischtücher fehlen, Federballspiele fehlen. Wir klauben Holzkohlen in den Holzkohlensack zurück. Mia ist zerstochen. Lucie ist sauer. Frankie und Boris entwaffnen Cowboys und Indianer. Ringa will reiten. In der nahen Gastwirtschaft schikken wir mit allen findbaren Groschen alle Kinder an die Spielautomaten, damit wir Ruhe haben vor allen Kindern. Wir beschließen, den Abend bei Harald und Lucie fortzusetzen. Lucie kann nicht aufhören, die Hair-Platte aufzulegen. John ist in seinen gelben Stiefeln jetzt Cowboy. Harald will nicht aufhören mit Mia zu tanzen. Lucie hört nicht auf, ganze Gläser mit Gin vollzuschütten. Den französischen Impressionisten stand noch eine Landschaft zur Verfügung. Kunst besteht in Zukunft allein aus Ideen. Unsere amerikanischen Reisen werden wir in Zukunft unter das Motto der Reisen in die freie amerikanische Vergangenheit antreten. Das Wort Landpartie assoziiert lauter Geschichten, für die es keine Gegend mehr gibt. Wenn der Swing wiederkommt, die großen Musikhallen kommen nicht mehr wieder. Wenn Armut ein Schicksal ist, muß niemand ein schlechtes Gewissen mehr haben. Den französischen Impressionisten stand noch eine Landschaft zur Verfügung.

Johann Häck Straße.

In der Nacht wach werdend von ganz unbekannten Schmerzen, die durch den Kopf, durch die Schläfen und die Augen ziehen. Das Problem des Kopfes könnte ein Problem der ganzen Existenz werden. Wenn diese Nacht nicht aufhört, wird eine schreckliche Reise anfangen. Diese Nacht ist nicht die erste Nacht in der Kammer, in der ich liege, und die Bilder, Zustände und Erinnerungen, die da herumgeistern, sind Momente durchgestandener Zeiten, die auf Abruf gegenwärtig sind. Die augenblickliche Erfahrung ist zwar die entscheidende, aber indem sie mit dem Hintergrund aller vergangenen Erfahrungen korrespondiert, steht sie nicht alleine für sich, sondern aktiviert das Vergangene zu fortwährender Lebendigkeit. Die Stille vor dem Fenster bringt mich fast um, weil ich auf das Geräusch von fallenden Birnen warte; es gehört hier zur Nacht im Herbst. Natürlich entstehen, bei solcher Vergegenwärtigungsmanie, auf die Dauer Erfahrungsmuster, die Nächstes und Neues bereits auf eine Weise vorbestimmt haben, daß man es *so und nicht anders* erwartet. Das Geräusch der fallenden Birnen kommt aber nicht, und ich drehe bald durch. Das Licht anmachen und Sprudelwasser trinken. Ich schreibe diesen Infinitiv und höre eine Birne fallen, aber dieser Augenblick ist bereits ein anderer als der, in dem ich gewartet, das Licht angemacht und Sprudelwasser getrunken habe, nicht zu scharfes, weil ich sonst sofort das Opfer eines Schluckaufs bin. Schmerzen sind dazu da, daß die Aufmerksamkeit auf den eigenen Körper gelenkt wird: schaurige Wahrnehmungen und die Verwunderung darüber, daß meistens ja alles intakt ist, vorläufig, bis Störungen unwiderruflich geworden sind. Dagegen stiftet eine sozialistische Hoffnung auf den sogenannten neuen Menschen eine gefährliche Illusion. Ich werde mich nicht mehr ändern, es sei denn, durch Wiederauferstehen nach Zerschlagung meiner inneren Ressorts. Nächte habe ich in dieser Kammer verbracht, in denen mir

Falsches deutlich, nicht aber der Entschluß zum Besseren möglich geworden ist. Der Zwang der Verhältnisse freilich erzeugt erst den Zwang einer Alternative, und eine Alternative wird am wenigsten gerecht den Widersprüchen meiner Absichten und Handlungen, meiner Passivität, meiner Gleichgültigkeit. Das Entstehen von Unglück dadurch, daß man meint, sich für irgendetwas entscheiden zu müssen, und wider alle widersprüchliche Einsicht das auch tut, wider alle Erkenntnis der Unfähigkeit, dies zu tun und das zu lassen, hierzubleiben, fortzugehen, entwederoderentweder. Bald ist ja der Herbst da. Nun ist ja der Herbst da. Und die Schmerzen sind nicht schlimm, wenn ich weiß, daß sie diesmal schlimmer als deine sind.

Aus dem alten VW-Bus kommen viele Rodelschlitten hervor.

Auf einem Feld mit Weidenzäunen. Oder in einer Kunsthalle. Sich befinden in gewöhnlicher Gegend und etwas ist darin, das nicht hineingehört. Wer das alles nicht wahrhaben will. Dagegen der Sinn einer Irritation: die Wahrnehmungsfähigkeit zu intensivieren, und das heißt hier, den Mechanismus der Gewohnheit zu stören und zu verändern. Im Sommer ist der Schnee notwendigerweise grün. Man muß das nicht glauben, aber in einem sprachlichen Vorgang sind Ereignisse möglich, die auf Ereignisse aufmerksam machen, die in einem Satz nicht möglich sind, aber vorkommen, draußen, in der Nähe.

Johann Häck Straße (2).

Der Herbst ist wirklich da, mit seinem Gold und Nebel und den Obstfuhren unter den alten rasselnden Bäumen im Wind und Glanz. Die Gemeinde Odenthal im Rheinisch-Bergischen Kreis legt die über die Hügel und im Tal der Dhünn verstreuten Dorfflecken und Gehöfte zu Ortschaften zusammen, nein, nicht durch Zusammenrücken der Häuser, sondern durch Erfassung unter gemeinsamen Ortsnamen. So hat der Rest dessen, was einmal das war, was man ein dörfliches Idyll hätte nennen können, seinen alten Namen Heide verloren, welchen Ort der Leser der Bücher *Felder* und *Ränder* aus einigen Berichten und Zustandsbeschreibungen bereits kennt. *Der Ort des Schreibens wird identisch mit dem Ort, der im Schreiben vorkommt.* Wir ignorieren völlig den neuen Namen, jedoch, die Post will exakt angegeben wissen den Namen der Straße, was heißt da Straße, also des alten, ewig mit zerquetschten Birnen vollgestreuten und die paar Häuser zusammenhaltenden Lehmwegs, der freilich seinen neuen Namen insofern zu Recht hat, als er just in jenes Anwesen führt, vor dessen Scheune am Peter-und-Pauls-Tag 1796 der sogenannte Franzosendrescher Johann Häck 63 aktenkundige französische Husaren mit einem Dreschflegel in die Flucht geschlagen hat. Auch diese Heldengeschichte ist erzählt worden, und nun ist gar der Name des muthigen Mannes amtlich bewahrt worden, mit schönen Grüßen an die Résistance. Die Gemeinde Odenthal legt im Rathaus ihre Bebauungspläne zur öffentlichen Ansicht aus. Sieh dir das an: unser Lehmweg, der als Sackgasse jetzt noch in den Blumengärtchen endet, wird als ausgebaute Straße direkt am historischen Familienexil vorbei und unter Beschlagnahme eines Wiesenteils hinter dem Haus weiter und im rechten Winkel unter weiterer Beschlagnahme eines Wiesen- und Waldteils in einen sogenannten Wendehammer geführt; und wenn du nochmal Einblick nimmst in die geplante Zukunft, siehst du auf dem Plan deiner erschlossenen Wiese bereits die Pläne für drei Eigenheime. Frage an den Gemeindebeamten: Sagen Sie mal, wieso verplanen Sie Grundstücke, die der Gemeinde nicht gehören? Antwort des Gemeindebeamten: Wir planen überall, damit Ordnung ist, wenn da mal gebaut wird. Entgegnung: Da will aber keiner bauen. Antwort: Der Bauer Schmitz will auch jetzt verkaufen. Frage: Wird die Straße nicht Lärm und Gestank zur Folge haben? Antwort: Also sowas läßt sich heute eben nicht mehr vermeiden. Wir erheben Einspruch beim Gemeindedirektor, schriftlich, der Einspruch läuft, die Sache ist in den Akten. Diese Sache aus dem Privatleben ist freilich beispielhaft für die Tendenz einer Landverplanung, welche die Nutzung der Landschaft vorentscheidet und jeden Quadratmeter Boden einer allgemeinen Raumordnung unterwirft. Was da Privatbesitz ist, entscheidet nicht über die Nutzungsmöglichkeiten: denn einmal bietet auch die an allen Ecken und Enden wackelnde kapitalistische Grundordnung keine Gewähr dafür, daß, wenn Staat und Gemeinden zur Wahrung öffentlicher Interessen (Beispiel Straßenbau) ihre Ansprüche stellen, Bodenbesitzer ihren Boden auch behalten (Demokratie schließt am Ende Enteignung nicht aus, wobei die Liegenschaften des benachbarten Grafen freilich immer noch eher Schonung finden als die Obstgärten eines Kleinrentners); und zum anderen ist Privatbesitz an Äckern, Wiesen und Wald längst zum Spekulationsobjekt geworden, seit ein Bauer nach dem anderen seine Klitsche zugemacht und das lästige Land zu einem Preis versilbert hat, daß für die Alten eine Rente und den chemiestudierten Sohn ein Bungalow mit einem zweihundertzwanziger Mercedes herausgesprungen ist. Die Strukturkrise der Landwirtschaft hat mithin eine ihrer Ursachen im Problem der Generationen. Urgroßvater und Großvater Schmitz wußten noch, was aus dem Schmitz'schen Hofe wird. Vater Schmitz weiß das nicht mehr, weil Sohn Schmitz und vor allem Schwiegertochter Schmitz aus Dresden die Schnauze nämlich langsam voll haben, jeden Morgen, Jahr für Jahr, ohne Urlaub, selbst am Sonntag, morgens um fünf in den Kuhstall zu steigen. Das nahe gelegene Bayer-Werk zum Beispiel bietet Arbeitsbedingungen und Verdienstmöglichkeiten, die auch den letzten Prolet-Bauern umwerfen, nämlich jene in der rheinisch-bergischen Gegend ansässigen Existenzen, die tagsüber hinter Fabriktoren verschwanden und alsdann ihren Feierabend auf ihren zwanzig Morgen Ackerland, zwischen drei Kühen, zwölf Hühnern und acht Gänsen schuftend verbrachten. Wieso wird dieser Satz durch einen Tempuswechsel gebrochen? Nun, diese kleinbäuerlichen, wie sagt man, Lohnabhängigen kennen wir fast nur noch in der Vergangenheit, und wenn man sie in diesem und jenem industrienahen Dorf vereinzelt noch dahinfristen sieht, müssen wir sie doch als Relikte des 19. Jahrhunderts besprechen, zugegeben mit einem Beiklang von Bedauern, daß ihre Tage gezählt sind, Tage mit Rübenkraut und Apfelkraut, Milchsuppen und Bratkartoffeln, wobei solche Erinnerungsweise ebenso sentimental gerät wie der Rückblick auf eine Landschaft, deren Hügel, Täler, Wälder und Dörfer planvoll und zukunftsbezogen zerstört werden. Wer die Gegend hier nicht kennt, kennt aber die Phänomene aus der eigenen Umgebung (Ausnahmen vielleicht noch in Schleswig-Holstein und in der Lüneburger Heide) oder aus irgendeinem abendlichen Fernseh-Feature. Einmal nicht hinausfahren ins Grüne, um ins Grüne hinauszufahren, sondern um ohnmächtig wahrzunehmen, wo ein weiterer grüner Hügel unter einem Haufen von Reihenhaus-Siedlung, wo eine Weide unter einem Parkplatz eines blinkenden Hallenbades und ein Waldweg unter einer Schnellstraße hin zum geplanten Flughafen-Ausbau verschwunden ist. Muß ja sein, alles. Die Kläranlage muß sein. Der Müllabladeplatz muß sein. Der Truppenübungsplatz muß sein. Das Eigenheim muß sein, muß massenweise sein. Das Einkaufszentrum muß auf dem Acker sein. Die Sprengung der dörflichen Isoliertheit muß eine nach der anderen sein. Die Verseuchung der Gewässer durch die Abwässer der jungen Industrie in den industriegünstigen Gemeinden muß sein. Die Anpassung des Bodenpreises an die Bodennachfrage muß sein. Nun hatte ein armer Bauernbursch für einen reichen Bauern die Ausrottung eines Eichenwaldes übernommen. Als er eines Abends ermüdet von der schweren Arbeit sich zum Heimgehen anschickte, trat aus dem dunklen Gebüsche eine weiß gekleidete, hohe Frau hervor und grüßte ihn recht freundlich. Sie stellte ihm in Aussicht, daß er, wenn er eine gewisse Eiche am nahen Berghange unberührt lasse, glücklich werden und bald das Ziel seiner geheimen Wünsche erreichen würde. Weiter werde er am nächsten Tage unter jenem Eichenbaume auch einen großen Schatz entdecken, für welchen er den ganzen Berghang kaufen solle, auf daß die Eiche auch in Zukunft geschont werde. Am nächsten Morgen ging der Bursche alsbald mit größtem Eifer an das Werk, und wirklich fand er nach fleißigem Graben unter dem Wurzelwerk einen kupfernen Kessel voll mit einem Schatz von purem Golde. Da ging er zu dem Eigenthümer des Berghanges und bot ihm für denselben eine Summe, in welche der baß erstaunte Bauer rasch einwilligte. Nun besaß der Bursche den Hang und immer noch soviel von seinem Schatze, daß er noch recht viele Grundstücke erwerben konnte. Nun brauchte er nicht mehr um kargen Tagelohn arbeiten, sondern er ward wohlhabend und ließ von seinen Tagelöhnern die Arbeit auf seinen Äckern tun. Wollen wir denn nicht einen Landrover haben, als Zweitwagen, nein, besser als Drittwagen, weil als Zweitwagen neben der Familienlimousine ein Roadster nützlicher ist. Der Herbst. Die Versöhnung mit Frankreich. Der Blick in die goldene Rheinbucht. Neue Sorgen: was fangen wir mit all den Äpfeln und Birnen an, die im

Wind auf die Wiesen fallen und faulen werden, wenn keiner was dagegen tut.

Warum diese Unruhe? Was hilft diese Unausgeglichenheit? Wozu den Schrecken wahrnehmen? Wieso immer zittern?

Sicher sind wir nachdenklich geworden. Ein sicheres Anzeichen ist es. Es ändert aber auch nichts, wenn man allen Versicherungen nur mit Mißtrauen begegnet. Bist du denn sicher, wie es mit uns weitergeht? Der Weg übers Eis ist sicher im Frost. Ein sicheres Mittel kann auch eine unerwartet gestellte Frage sein. Oder es ist ein sicherer Ausweg. Nur sollte man vor lauter Aufregung nicht vergessen, wie man die Sicherheitsvorschriften anzuwenden gelernt hat. Dieser Wächter, dieser Zaun, diese Hunde. Sicher ist herb und bekömmlich. Ein schöner Tag ist sicher kein hoffnungsloser Tag. Sicherlich heißt nicht vielleicht. Sicherheit ist ein Motiv unseres Kampfes. Sicher und Sieg sind zwei Wörter, wie sicher und Zukunft zwei Wörter sind. Ein Wiedersehen kommt sicher und eine Trennung kommt sicher danach. Zuerst einmal sicher auftreten. Später verhandlungssicher sein. Todsicher. Erröten, Hemmungen, sicheres Versagen. Sicherheit ist eine Wiege, ein Faktor, ein Bedürfnis, ein Versprechen und eine Produktion. Sicherheit verbreiten, verleihen, gewinnen an. Gruppe und Dienst. So sind wir sicher gegangen und haben wir sicher gewonnen. Nun sichern wir ab. Mit sicherer Hand führen ab.

Da hängt nun an der Wand eine Stadtkarte von Stockholm in Schweden.

Die Wörter, die geschrieben werden, sind nicht im Besitz des Schreibenden. Sind sie überhaupt im Besitz von jemand, der sagen kann: diese Wörter sind mein Eigentum und ich gehe damit um wie ich will? Artillerigatan. In dieser Straße steht ein großes rotes Backsteingebäude, das die Vorstellung weckt von einer alten Artilleriekaserne. Es fahren vor dem Hotelfenster leere Lafettenwagen vorbei, gezogen von großen Pferden, gelenkt von schwarzen Kutschern. Wenn man Wörter verwendet für Phänomene, die unvertraut und fremd sind, weiß man nicht, ob die Wörter die Phänomene richtig erfassen oder genau durchdringen. TT sind die Buchstaben der Abkürzung des Namens der Biermarke *Three Towns* beziehungsweise der Presseagentur *Tidningarnas Telegrambyra*. Die Rede geht von sehr frischen Erinnerungen, die sich mit Vorgängen mischen, die augenblicklich stattfinden,. etwa im Kopf, als Vorgänge der Erinnerung, wie man sie mitbringt von einem Trip, heim, in häusliche Verhältnisse, die sie beeinflussen mögen, so, daß man nicht sagen kann, eine Erinnerung sei unverwandelbar in einen aktiven Impuls. Erzähl mal den letzten Abend: ja, in der großen Landschaft habe ich massenhaft graue Steine herumliegen sehen: womit dieser Satz, wie viele meiner Sätze oft, jenen Leerbereich zu besetzen hat, der durch das Aussparen einer Geschichte, durch Nicht-Erzähltes, entsteht. Wenn man durch den Nobel-Park spaziert und den Uferweg dort verläßt, wo ein flacher, schilfumstandener Felsen flach ins Wasser ragt, stößt man auf eine Bank; auf der Bank sitzt man versteckt; im Schilf nisten Enten; der Blick aufs blaue Wasser ist bereits der Blick auf die Ostsee; die Ostsee zwischen den Schären; auf den Schären einen Sommer verbringen mit; hierbleiben wie im Exil; glücklich; Oktober; verschwunden in der Wüste untröstlich Samuel Beckett. Ich muß mich auf Grund der Tagung fragen, ob mir der Gegensatz zwischen Fiktion und Nicht-Fiktion überhaupt wieder ein

Problem werden kann, das mich wenigstens befähigt, in einer Diskussion darüber zu diskutieren. Mehr und mehr verstehe ich mich als ein Medium, dessen Programmierung nicht durch es selber geschieht, was anders gesagt heißt, daß das, was von mir zu hören ist, nicht unbedingt von mir gesagt sein muß. Im Park der Radio-Stadt von Sveriges Radio kann man die Reste eines alten Friedhofes vorfinden; in der Nähe die amerikanische Botschaft ist ohne Botschafter zur Zeit; ganz selbstverständlich schließt Schreiben alles Dokumentarische ein, dessen Verwendung ganz selbstverständlich alles Erfundene nicht ausschließt. Göran vernichtet mich im Tischtennis, während Karin hinter der Bar hockt, deren Einzelteile hin und her verfrachtet worden sind zwischen den Kellerräumen in Niederdollendorf und Stocksund. Zum Frühstück erscheinen an jedem Morgen drei Mädchen in der alten Tracht ihres Volkes in der Hotelhalle. Der schweigende Portugiese. In den blauen Himmel hinein marschiert die Wachablösung des Königlichen Schlosses. Seit ich nach einer Zeit der Ungewißheit weiß, daß der Name Ingegärd ein Mädchenname ist, kann ich mir vorstellen, daß das kriegsdeutsche Wort Muckefuck in den schwedischen Wortschatz eingehen wird. Oft jetzt, oft jetzt wiederholt sich die Erfahrung, daß die sagen wir zehn oder zwölf Jahre alten Ideen, Pläne und Gedanken nun anderswo verwirklicht oder reproduziert werden. Im 30. Geschoß des höchsten Bauwerkes in Nordeuropa betreten wir die rundum verglaste Aussichtsetage mit Orientierungsplänen, bestehend aus Panoramaaufnahmen der Umgebung mit den schwierig aussprechbaren Namen von Sehenswürdigkeiten und größeren Gebäuden. In einer Bilderfolge ließe sich die Phantastik des Denkbaren und ebenso des Wirklichen in dieser Wolkenlandschaft und Wasserlandschaft, nein, auch nicht auf eine Weise demonstrieren, daß die Imaginationsfähigkeit, die über die Wörter in jedem Fall hinausführende, außer Kraft geraten könnte. Die Frau des Schreiners. Lars Gustafsson muß zusehen, wie sein *Richthofen-Problem* in der Diskussion seiner Kollegen mehr und mehr als ein Problem diskutiert wird, das auf die Memoiren des roten Kampffliegers gar nicht so zutrifft. Die Memoiren des roten Kampffliegers werden mein Problem, wenn ich mich an meine Lesenächte Anfang der vierziger Jahre erinnere und die wilden Verführungen zur Identifikation mit den ganzen Heldentypen zu Wasser, zu Lande und in der Luft. Ah diese grüne blinkende Stadt und jedes Erkennen von Schönheit gelingt im Vergessen. Das schwedische Trauma der Auslieferung. Sagen wir du. Der Wind in der Nacht in den Straßen. Was vertraut werden kann nach wenigen Tagen. Wiedererkennend. Dies sind die Landschaften von Arizona und die Rheinische Nacht und die alten Freunde von Max Ernst in der alten Marinestation gelb auf der Insel im Regen. Hier ist es das täglich wechselnde Wetter, das jeden Tag zu einem neuen Tag macht. Schon ein Stadtplan an der Wand ist imstande, den unbeschreibbaren Auftritt zweier unbeschreibbarer Damen in der Opern-Bar, das gleichzeitige Ablegen zweier finnischer Dampfer am Finnland-Kai, ein Haus in der Birger Jarlsgatan, eine Schlägerei im Porno-Viertel, das Sturmgeräusch im Hotel, den Eisgeruch der Eisbahn, die Stimmen der Simultandolmetscherinnen in den Ohrmuscheln, Egons Party, das Wiedererkennen des Mädchens vom Dellbrücker Anemonenweg, den Scheitel des kahlköpfigen Kellners, das plötzlich kaputtgehende Gesicht der besoffenen Dichterin, das Farnkrautmuster der grünen gußeisernen Parkbänke, die Massachusetts-Stimmung in einem olivfarbenen Holzzimmer, das Projekt des Kommenden Mannes von Heissenbüttel, die Erinnerung an die kleinen runden Bratkartoffeln zu Hause beim Essen der kleinen runden Bratkartoffeln zum Frühstück in einem leeren, durch eine voll grauer runder Steine liegenden Landschaft fahrenden Speisewagen zu vergegenwärtigen. In der Halle des Flughafens Arlanda höre ich mich den Namen Dusty Springfield aussprechen. Der Himmel und die Heide und das Traurigsein. Seen, Ebba, Seen.

Wer kennt denn wen in dieser Gegend?

Nach einer Zeit der Abwesenheit wiederkommen und das Maß der Wiedersehensfreude mit dem Maß des Nicht-Vermißt-Worden-Seins vergleichen. Eine Frage stellen, nicht verstanden werden, den Namen langsam und deutlich buchstabieren. Verzweifelt nach dem Ort suchen, an dem das plötzlich aufgetauchte Gesicht schon einmal aufgetaucht ist. Grüßen und nicht wiedergegrüßt werden. So tun als habe man nicht gesehen. Völlig konsterniert sein von der völlig überraschenden Handlungsweise eines uralten Bekannten. Den Namen schon wieder vergessen und die Straße auch nicht mehr finden. Zu spät plötzlich bemerken, daß im Einkaufszentrum an der Kasse diese zwei Nachbarn schon warten. Mit Hallo auf einen Nachbarn zugehen, der gar kein Nachbar ist. Den Urlaubsvertreter des Briefträgers fragen hören, wer hier alles wohnt. Als alter Stammgast an der Rezeption zweimal nach dem Namen gefragt werden. Drei Jahre lang freundlich zunicken und immer noch nicht wissen, wer das eigentlich ist. Vor dem Spiegel stehen und fragen, wer da so blöd steht. Unter massenhaft Leuten das Gefühl haben, auf der menschenleeren Erde zu sein.

Raum-Fragen.

Dies ist der neue Bauabschnitt; wo hat sich der Bauherr mit seinen Architekten versteckt? Welche der unbeweglichen Wolken sind heute giftige Wolken? Warum hört man in seinem Zimmer, was im ganzen Haus gesprochen wird? Das schöne und leere, tischflache Land; dürfen wir ein bißchen Parkplatz haben oder ein Stückchen Zubringer oder Umgehung? Wohnen dort Maulwürfe oder die sieben Zwerge oder gibt es Untermenschen in der Tat? Sind in diesem Ballungsraum schnelle Bewegungen, taktische Rückzüge und Flankenangriffe noch möglich? Der Baum da, was steht er noch da? Wird sich diese historische Kuppel eines Tages in den Geist auflösen, aus dem sie entstanden ist? Kann ich das Loch in der See besichtigen? Dies ist die Tür; ist dies auch der Ausgang? Ist hier einer in Unruhe, weil der Aufzug stehengeblieben ist? Kann ich mein Haus nicht woandershin haben? Kann man den Vorort nicht wegmachen wegen der Störung der Aussicht? Wohin ist das Dorf verschwunden? Kann man die Städte nicht aufbewahren für die Zeit, in der es keine Autos mehr geben wird? Ist ein Fenster da, um Etliches auf die Straße zu schmeißen? Da kommt unsere Landebahn hin; wenn uns diese Häuser nicht stören, was wollen die Bewohner dann noch? Wo kann man hier das Weite suchen? Soll ich auf diesem Gegenstand sitzen oder darf ich ihn nicht anfassen? Können wir in diesen Zimmern ungestört sprechen oder wird hier gleich eine Verkehrsstauung stattfinden? Willst du lieber eine Schnecke oder eine Schildkröte sein? Wo soll die Sonne hin, Regen und Schnee?

Im Sommer rasseln die Rolläden spät herunter. Im Winter rasseln die Rolläden früh herunter.

Nichts werden wir trinken wollen heute abend, denn gestern abend und vorgestern abend und wahrscheinlich auch davor den Abend haben wir auf etliche Theken gestützt wieder mit einigen hundert schwarzen Filterzigaretten und gebietsweise gewaltigem Wortaufwand viele unvergeßliche Stunden so feucht wie fröhlich durchstehen müssen. So geht das nun nicht weiter. Der Geist des Widerstandes wächst. Wir sitzen darum still und einsam heute abend in den Sesseln, warten auf den ersten, fernen Schnee; stumm und dunkel bleibt auch der Fernseher; Radio Luxemburg hat bei uns nichts zu suchen; in die Flucht jagen werden wir jeden sich nahenden Hausfreund. Nun, während ich nach den Worten für den nächsten Satz suche, der fortsetzen soll die Beschreibung eines extra ereignislosen Abends, höre ich die Glocke des Telefons läuten unten im Haus. Wird da wer mal eben vorbeikommen wollen? Haben wir ein verabredetes Muschel-Essen vergessen? Wird mir, indem ich zum Hörer flitze, etwas Glaubwürdiges einfallen, was meine Unlust glaubwürdig macht, oder wird dieser Satz wieder der letzte Satz heute abend sein?

Fortwährende Hausgeschichte.

Nun ist dieses Haus voller Unordnung, denn es ist voller Rasenmäher, Sitzkissen, Staubsauger, Goldhamster, Rodelschlitten, Faltboote, Grillautomaten, Siamkatzen, Flipperapparate, Cognacschwenker, die von immer neuen Tierpflegern, Schreinern, Gärtnern, Klempnern und Gastarbeitern herangeschafft werden, damit dieses Haus nicht länger ein leeres, unbedeutendes und sinnloses Haus bleibt, das früher ein Haus mit schlechtem Ruf, voller Erinnerungen und hell lachender Kinder gewesen ist, bis man es zerstört und wiederaufgebaut hat als ein ruhiges, ländliches, abgeschiedenes, treues Haus, das voller Waffen gehangen hat, voller Äxte und Lanzen, Vorderlader und Helme, so daß es oft belagert, verteidigt und gestürmt worden ist von den oft wechselnden Feinden, die das Haus abwechselnd zu einem Hauptquartier, einem Lazarett, einer Kirche und einem Haus der Zufriedenheit gemacht haben, das einmal mit Pferden, dann mit Gefangenen, dann mit Flüchtlingen und schließlich mit Hausverwaltern belegt worden ist, welch letztere das Haus von allem Mist und Unrat haben frei halten können, bis es verkauft worden ist, nacheinander an einen Makler, einen Baumeister, einen Hausbesitzer und einen Hotelier, der aus dem Haus ein Hotel gemacht hat, in dem man nicht hat wohnen können, weil es voll von schlechtem Ruf, Unordnung, Erinnerung, Hamstern und Schreinern gewesen ist, sodaß es wieder abgerissen und wieder neu gebaut worden ist, diesmal als Opernhaus, in dem bald ein Brand gewütet hat mit dem Ergebnis eines Architektenwettbewerbs für den Bau eines Museums, dessen letzter Entwurf dann abgelehnt worden ist mit der Begründung, ein Museum sei weder ein Silo noch ein Wolkenkuckucksheim, weshalb das Grundstück des Hauses dann lange freies Ackerland, eine Schrebergartenkolonie, ein Fußballstadion, ein Flugplatz und ein hin und herverschachertes Spekulationsobjekt gewesen ist, um das sich ein holländischer, ein amerikanischer, ein italienischer und ein niedersachsischer Konzern gerissen haben, bis es zum Naturschutzgebiet erklärt worden ist mit einem Försterhaus drin, das als Tierheim und Waldschenke weiter benutzt worden ist, nachdem am Ende kein Förster die Übermacht der Wilddiebe hat überleben können, sodaß die ganze Gegend wieder lange Zeit Stoff für Legenden, Sagen und Greuelmärchen hergegeben hat, die heute noch in der Heimatkunde der Hauptschulen nacherzählt werden, obwohl keine Spur mehr an die Zeit erinnert, in der hier alles wüst und öde gelegen hat, viele Epochen lang, bis ein neuer Anfang gemacht worden und dieses Haus gebaut worden ist, das früher kein freies, sondern ein verschwindendes, kein neues, sondern ein labyrinthisches, kein schwaches, sondern ein für dumm verkauftes Haus gewesen ist, das immer ein Problem, immer aufgeräumt, oft geplündert und niemals vergessen gewesen ist.

In der Nähe von Belgien.

Sehen wir denn da nicht die Ardennen von der Höhe der Böschung vom Mauspfad? nein, dies im selten klaren Licht der Kölner Bucht hinter den Türmchen der Domstadt sind erst die Ausläufer des Vorgebirges, das nördlich der Braunkohlenstadt Frechen die Autobahn durchsticht in Richtung Aachen, Niederlande, Belgien. Vom christlich-nächstenliebenden Gerede über meine Flamme Christa im Oktober 47 weiß ich, daß es die reine Schande war, wenn ein blondes deutsches Mädchen in einem Jeep mitfuhr und kaugummikauend schwarze BELGA rauchte: was! im Kino? bist du? mit der? auch noch! gewesen? Ja, und Betty auch, inzwischen tot, soll mitgesessen haben in dem Jeep, und Christa, später, da sieht man's ja! soll verheiratet jetzt sein im ehemaligen belgischen Kongo. Die kleinen roten Autonummern sind nicht mehr wegzudenken aus dem Straßenbild in bestimmten linksrheinischen und rechtsrheinischen Vororten. Auch dieser gegenwärtige, quasi zivile Zustand hat wie vieles mehr in der Geschichte der näheren Umgebung seinen Anfang im Jahre 1945. Im Zuge der Besatzungszoneneinteilung nämlich, nachdem am 6. März der sogenannten Stunde Null die 3. amerikanische Panzerarmee besetzt hatte, was eine Schuttmasse von 14 Millionen Kubikmetern war, kamen drei Monate später die Besatzer der britischen Rheinarmee, unter deren Kommando dann belgische Besatzer das Rheinland besetzten. Von unserem derzeit festen Wohnsitz aus im Rechtsrheinischen sind es bis zur Grenze rund hundert Kilometer. Lüttich, in dieser wallonischen Stadt fängt ja ziemlich Frankreich schon an: jedenfalls waren wir ganz hin von dieser *Atmosphäre*, als wir, Sommer 55, zum ersten Mal via Aachener Straße losgetrampt waren den Kopf voller Cocteau-Filme und mit zweihundert von Gina geschenkten Mark in der Tasche und den alten Wehrmachts-Affen auf dem Rücken und hinten auf dem hölzernen offenen Lastwagen dann hinunterrumpelten in den schwarzen Talkessel der Maas: Liège. Schwarz alles. Regen und schwarzes Pflaster und sieh mal! ein Café des poètes neben dem anderen mit den Spiegeln aus Orphée und *ich hab doch solchen Hunger*, warte, heul nicht, ah diese Bruchbude von Hotel im Nebel und noch nie so was von riesigem Bett mit zwei Bidets daneben, fleckig, dreckig, Knarrendes hinter den Türen, es wird jetzt gleich ein Schrei aus dem Schrank zu hören sein? Die Stadt Cöln ist eine alte Colonie-Stadt, und immer ist im Rheinland eine Zeit der Besetzung eine Zeit der Anpassung gewesen; dazu brauchten die belgischen Besatzer gar nicht erst unsere Nato-Freunde zu werden, die sie seit Bestehen der Neuen Macht und Wacht am Rhein auf eine Weise sind, daß selbst die paar Schlägereien wegen Mädchen nicht mehr passieren und auch keiner mehr von den Papp-Chinesen und Bajuffen spricht wie noch meine Freundin Ria im Frühling 51. Auf der Bühne des Belgischen Hauses spielten wir Hänsel und Gretel und Die Reportage des Todes von Rudolf Mirbt: einmal war ich der Hänsel und einmal war ich der todkranke Professor. Ostende, das Wort Ostende fällt mir immer ein wenn ich sage: ich fahre jetzt weg, irgendwohin wo die See ist, graue See im Winter, und wirklich bin ich einmal im Winter an die graue Küste von Ostende gefahren und habe die grauen *Küsten des Exils* beschrieben, obwohl ich gar nicht *wirklich* hingefahren bin im grauen Winter 57 und noch immer keinen Satz darüber sagen kann, der nicht Ausdruck einer Fiktion von Flucht wäre, obwohl es sich, nein, auch nicht um wirkliches Fliehen gehandelt hat, dieses eingebildete Anders-wo-sein, Ostende. Das kleine Königsland wird von einer Sprachgrenze geteilt. Sind die Spannungen zwischen Flamen und Wallonen in den Kasinos und Kantinen der belgischen Garnison spürbar? Ein flämischer Lehrer in einer flämischen Schule im Bensberger Schloß erzählt: Wenn ich als Flame auf flämisch ein Bier bestelle, bekomme ich das Bier nur, wenn ich das Bier auf wallonisch bestelle. Der billige Scotch, den ein Bistro anzeigte, war nicht der erwartete Scotch, sondern ein dunkles starkes Bier, das mich nach dem dritten Glas vom Hocker fallen ließ im noch immer schwarzen Lüttich dreizehn Jahre später. Rix' Diele hieß der Bums, in dem auch einige Mademoiselles aus dem Zollstocker Barackenquartier samstags immer auf Amüsemang ausgingen, was insofern die brotloseste Epoche unserer Existenz betrat, als in der Folge eines Verlöbnisses, das sich nach einer solchen Tanzerei anbahnte, ich den Briefverkehr zwischen einer aus Sachsen fortgemachten Blondine und einem irgendwo in die Nähe von Namur entlassenen Rekruten zu übersetzen hatte, und zwar gegen ein Stücke Wurst mal oder zwei Sechserpackungen Eckstein. Bei dieser Schreibweise ist es schwer beim Thema zu bleiben, denn sobald die Rede auf einen bestimmten Bereich kommt, ist er sofort durchdrungen von der sich einmischenden Nachbarschaft anliegender Stimmen. Früher dienten oft die flämischen Bauernkinder als billiges Dienstpersonal in den Häusern der reichen wallonischen Familien. Antwerpen. Antwerpen war, ich weiß nicht, vergessen. Alle Autobahnschilder zurück waren von flämischen Nationalisten überpinselt: Liège: Luik! Sollen uns diese Truppen da beschützen, oder was verleiht Ihnen eigentlich das Gefühl von Sicherheit? Wie in einem Getto fast leben die Angehörigen der Garnison in ihren eigens auf wessen Kosten erbauten Reihenhäusern? Von gesellschaftlicher Integration oder wie Sie das nennen wollen dieses mögliche Kindergemisch und Zusammensitzen unterm internationalen Adventskranz kann jedenfalls die Rede leider nicht sein. Und auf kultureller Austauschbasis? Nur das alte Dellbrücker Kino war beschlagnahmt, bis ein neues Kino dort hinkam, wo früher, weiß nicht, vergessen. Ich wandere zwischen Ginsterbüschen auf Panzerspuren durch den Sand der Reste der Dellbrücker Heide, in der uns nachts zwischen den Ginsterbüschen die Scheinwerfer von den Wachtürmen entdeckten und verfolgten, und ich lasse mich jetzt faszinieren vom Stahlgespinst des neuen Radarturmes an der Bahnlinie zwischen Bergisch-Gladbach und dem Hauptbahnhof, dessen neue Umgebung die alte und beschriebene verschwinden läßt, sodaß auch diese Spur nur noch in Wörtern zu verfolgen ist; und wo ich gegen den neuen Stacheldraht renne, zäunt der neue Stacheldraht bloß das neue Baggerloch ab, das neue Baggerloch in dem alten Baggerloch auf dem neuen Manövergelände in dem alten Manövergelände, in dem wir Manöver gemacht haben für den Fall daß der Feind überfällt. Zum Wochenende fahren belgische Familien über die Grenze und kaufen Billigeres ein. Zum Wochenende fahren deutsche Familien über die Grenze und kaufen Billigeres ein. Mit einundvierzig Collagen und einem Statement über aktuelle Hörspielerfahrungen gastierten wir in der flämischen Heide. Wir umlagerten einen großen offenen Kamin. Jan malt seit drei Jahren ein Bild über Korsika. Ich will ein Bild über Marie-Luis malen, aber ich kann es nicht lernen, das Malen. Wo sind denn nun die zertrümmerten Wälder der Ardennen, und wo ist der Boden so rot in Flandern? Seit unserer Kriegskindheit sind nicht zu vergessen solche Wörter, die inzwischen freilich mehr eine

Aura vergegenwärtigen als ihren wirklichen geschichtlichen Inhalt. Im Zuge des Älterwerdens wächst die Wahrnehmungsfähigkeit für das, was sich unmittelbar gar nicht mehr wahrnehmen läßt. Die Sonne über der belgischen Autobahn scheint hinüber auf die Regennässe der westdeutschen Autobahn. Wird der schnell erreichbare Grenzübergang im Exil-Fall verstopft und versperrt sein? Dies auf der Rheinbrücke sind die grünen Waggons der Belgischen Eisenbahnen. Dies auf meinem Tisch ist eine Pakkung Boule d'Or. Dies im Bordradio ist Radio Bruxelles. Einige der Vorstädte hier sehen aus wie belgische Straßendörfer, und das nicht bloß der Reklame wegen für Stella Artois oder weil der Schnee jetzt hier wie da die Straßen nach Osten und Westen schwarz macht.

Es ist schon alles da.

Pauly will einen neuen Laden aufmachen, nachdem er den alten Laden mit Verlusten und singend verlassen hat. Pauly findet einen Laden, robust, offensiv, wo es Gunst und Nutzen hat. Das ist versprochen. Er hat Frauen und Kinder. Pauly bietet Entwicklungen an, Missionen, Projekte, Sendestationen im freien Meer, Holz, Sperrholz, Leim. Pauly liegt wach jede Nacht und frühstückt mit Johanna seine Suppen, sein Ei. Pünktlichkeit verträgt er nicht. Unpünktlichkeit verträgt er nicht. Pauly reist nach Frankfurt, Las Palmas, wieder nach Frankfurt und läßt sich von Johanna scheiden. Pauly handelt mit Reihenhäusern; er findet keine freien Flächen für fünfzig fertige verkaufte Reihenhäuser; grübelnd läßt Pauly den Globus rotieren. Toyota. Alfa Romeo. Hotchkiss. Humber. Mercedes. Sunbeam. Renault. General Motors. Suzuki-Idosha. Nissan, Fiat, auch Steyr vielleicht, Glas ist verloren. Johanna denkt oft an die Zeit, in welcher Pauly sie angerufen hat, aus englischen, russischen, japanischen, australischen und nordamerikanischen Hotels, jede Nacht, in der Zeit, als Pauly von Rosa noch nicht geschieden war. Pauly-Kontakte K. G. Pauly der listige Kämpfer. Und probiert bewegliche Satzkonstruktionen aus. Wüste. In jeder Wüste wird ein Gabelstapler gebraucht; Pauly sitzt auf einem Blechkanister und betrachtet durch ein Fernglas den Lauf der Zahlenkolonnen. Im Hafen in die Falle gelockt, schlägt Pauly zurück und verläßt das falsche Land. Pauly wird in seinen freien Stunden Dozent. Er sagt, Erfahrungen sind keine Ware, und doch ist dieses mein Dilemma, denn wenn ich sie verkaufen werde, muß oder kann. Pauly stellt in seinem neuen Laden Verpackungen aus. Was ist drin? Im Verpackten ist nichts drin. Das will der Klient nicht wissen; er will wissen, was drin ist mit Nachlaß, wenn er viel Verpacktes haben will. Paulys Haut wird streichelweich. Aktiv wird sein Geschlecht. Witternd schwärmen seine Vertreter aus, wenn ich auch keinen Markt gewinne, Pauly sagt, ist Markt ist Markt, beteiligt sein und Neues wird. Vernichtet Kirschen. Pauly in seinem Neuen Laden wischt Staub von den guten Zigarrenkisten. Träge Lehrlinge wirft er auf die Straße, trübe Lehrlinge, hastige Lehrlinge, schweigende Lehrlinge, sozialistische Lehrlinge, ungekämmte, duftende, kranke, antisemitische, verführt-werden-wollende, radikale, schlafende, schwangere, fehlende Lehrlinge, Lehrlinge fehlen und immer alles selber machen müssen. Paulys Vater war allein, nur mit Paulys Mutter. Pauly entschließt sich für getönte Brillengläser. Indem er Hathaway-Hemden fahren läßt, sagt er den Staaten nunmehr den Kampf an. Pauly hat oft Lust, aus dem ganzen Rennen auszusteigen. Der Markt ist so satt. Pauly ohne Markt ist kein Pauly. Sag, Lonny, ist man denn immer der den die Anderen aus einem machen? Pauly hat in Lonny etwas gefunden, von dessen Existenz er immer geahnt hat. Pauly hastet von Tür zu Tür. Pauly lächelt in der Zeitung und wenn er drankommt im Fernsehen. Im Understatement groß sein. Großsein ist möglich und machbar ist ein Bereich von Aufgaben mit Lust und Zeit. Vom Yachtclub in den Countryclub oder umgekehrt ein Mann muß wissen wo er wann hingehört. Die Socken sind halblang zu tragen, auch wenn es die Menge nicht wahrhaben will. In der Menge ist Pauly überall, weil er wissen will, was die Menge will. Pauly betrachtet seinen Laden von außen, von innen, von den Prospekten her, auf der Landkarte, durchs Schlüsselloch, mit Brille, ohne Brille, mit den Augen seiner Frau, schonungslos, mit Gedanken an die Zukunft, voll Liebe und Verstehen, wie ein Sorgenkind, als etwas Selbstverständliches, ohne Illusionen, lustlos und lachend wie in alten Tagen. So, nun ist Pauly erledigt, aber das sieht nur so aus; wenn er in den Seilen hängt, will er den Gegner in Sicherheit wiegen; Pauly wiegt in Sicherheit. Mal ist er klein, mal ist er groß. Lonny weiß es, Johanna wußte es, Rosa wird sich erinnern, wenn Pauly ruft. Das ist die Lage. Pauly weiß es. Pauly hängt von vielen Faktoren ab und ist nur unter Umständen denkbar. Pauly ist aus seinen Verhältnissen hervorgegangen als ein Modell der Verhältnisse. Paulys Laden wäre sonst eine Bruchbude, oder ein Dreirad, später ein Kundendienst, wie immer seriös, oder weit draußen, aber mit Zukunft, so wie ein Luftschiff, oder gar nichts oder aus einer alten Zeitung ein Bild.

Da fährt ein schneller Wagen langsam durch die dunklen, teils bewohnten, in Frage gestellten Gärten.

Häuser umstehen Gartenland. Weil für die Häuser nicht genug Garagen da sind, stehen Garagen im Gartenland. Bauland soll das Gartenland nicht werden, aber es wird gebaut. Verträgt es sich denn auch mit dem Prestige eines Wagenbesitzers, daß er seinen Wagen ewig vor der Haustür parken muß, vor allem, wenn zugleich er Hausbesitzer ist? Keinen Wagen besitzen und kein Haus besitzen und dennoch beides zur Verfügung haben als etwas für Jedermann Selbstverständliches und nicht als Zielobjekt meiner Wünsche und meines Ehrgeizes: weit entfernte Verhältnisse. Es gilt noch die Reichsgaragenordnung aus dem Jahre 1939, oder anders: die Stellordnung zur Schaffung von Garagen und Aufstellplätzen. Und das Gesetz so will es das Gesetz bestimmt, daß ein jeder Bauherr eines Einzelhauses, selbst wenn er keinen Wagen noch eine Fahrerlaubnis hat, für genügend Stellplätze zu sorgen hat. Das wären ja zusätzlich Renditeobjekte, jedoch der Markt blüht nicht so recht, und so müssen wir das trostlose Bild der vollgeparkten Straßen erleiden, bis daß es soweit ist, nämlich die Stunde des vollkommenen Verstopftseins unserer Lebenswege durch den ruhenden Verkehr wird geschlagen haben. Das Geräusch der krachenden Äste, wenn ein Apfel fällt und das Geräusch dann des Aufschlagens auf dem dumpfen nassen Boden. Mehr als einhundertfünfunddreißig Firmen sind mit dem Bau von Garagen befaßt, nicht gerechnet die billigen Dinger zum Falten zwischen neunzig und hundertvierzig Mark aus PVC-Folie und bestenfalls was für ein Goggomobil. Häuser umstehen Gartenland. Sinah umkreist die leerstehende Wellblechgarage wegen einer Einstellmöglichkeit für das umkämpfte Pferd; Sinah gibt nicht nach und will es. Gemauert und schlüsselfertig machte eine komplette Garage um die viertausendfünfhundert Mark herum. Und die Hamster, und der Affe, und der Esel, und die Torpedoboote, und die Schafherde, und die Tennisspieler, und das Kleinstflugzeug; und ich, wo kriege ich und halbwegs bequem erreichbar meinen neuen Rasenmäher noch unter? Es ist schon eine glatte Schweinerei, wenn man sich informieren lassen muß, daß die Neue Heimat Nord zum Beispiel an die achthundert Garagenplätze leer stehen hat und daß dieses Phänomen nicht nur auf die Neue Heimat Nord sich beschränkt, sondern auf alle Bauherren größerer Objekte zutrifft. Arme Gärten, triste Gärten. Soll ein Gärtner sich umschulen lassen zum Tankwart? Was da aufeinmal verdächtig qualmt, dann hell brennt und schließlich niedergebrannt verschwunden ist, ist im Erinnerungsfilm ein nach dem anderen von befreiten Displaced Persons angezündetes Gartenhaus in dem Gartenland eines Hügellandes im grünen Herz Deutschlands. Feuersicherheit ist das Sicherheitsverlangen der Reichsgaragenordnung. Die Reichsgaragenordnung bestimmt nach DIN-Norm die Materialeigenschaften des feuerhemmenden Materials. Eine brennende Garage ärgert uns und gefährdet Birnbäume und Johannisbeersträucher. Weiterhin muß jeder Garagenbauer an die Genehmigungspflicht für eine Gehweg-Überfahrt denken. Den Überfahr-Antrag reichen wir bei der städtischen Tiefbauabteilung ein. Na? Habt ihr alle den Überfahr-Antrag bei der städtischen Tiefbauabteilung eingereicht? Ein leerer Garten nach dem anderen wurde von Maschinengewehrsalven durchsiebt. Häuser umstehen Gartenland. Glück ist ein Stück näher für alle Anlieger, wenn im Winter in der Frühe das Warmlaufen der Motoren aufgehört hat. Gartenland wird dahinschwinden. Obst verfault das meiste oder wird eingestampft. Salat schießt und Tomaten sind schwarz geworden. Für den neuen Audi ist die Buchsbaumhecke zu breit. Und wohin der neue Swimming-Pool? Im nächsten Sommer ist das Problem mit dem neuen Swimming-Pool da.

Diese Krawalleks, diese langhaarigen Affen, diese Struppis müssen weg.

Im 18. Jahrhundert stand hier noch ein kaiserliches Werbehaus, das freilich von den Studenten der nahen Cölner Universität zerstört wurde, denn die kaiserlichen Werber hatten nämlich auch Cölner Studenten mit Gewalt geworben, so daß ihre Studiengenossen anrückten und ihre Drohungen wahrmachten, indem sie die Geworbenen befreiten und das Werbehaus zerstörten.

Schließlich haben alle diese Dinge ihre Eigenschaften, die sie kennzeichnen, unterscheiden, hervorheben, anziehend machen, mißverständlich erscheinen lassen, wahrnehmbar machen etc.

grüner. aufgeplustert. langes. grell. rissige. hoch. höher. glitzernd. königliche. steif. trocken. aktives. zentrumsnahe. umspannend. glatt. weißeste. schlagkräftiger. gepolstert. lahmes. fix. gehärtet. leistungsarm. rückgabebereit. ausnutzbar. gekonnt. feinste. fehlentwickelte. schwächste. gebräunt. kleingehackt. spursicher. blühendste. gelb. gefährlich. abgeschwächte. lärmfrei. wartungsfrei. kopflastig. rasantes. stabil. fähig. unumgänglich. schonungslos. unersättlich. störungsanfällig. bedroht. vielseitig. tolerant. abgeschlafft. kernfreie. päpstlicher. bergfreudig. zukunftsbezogen. muffiges. noch schneller. keß. überzeugend. anheimelnde. altdeutsches. verfassungswidriges. miese. rosarot. privatistisch. radiophones. schlagend. stur. reformistisch. ausladend. ehrpusselig. seriöses. gleichgesinntes. freischwebend. ideenreich. klassengebunden. realistisch. fatales. jugendfrei. belebend. unmißverständlich. praxisnahe. sauber. schlank. griffig. ekelerregend. erregend. frei von Verdacht. förderungswürdig. verwurzelt. umworben. entwikkelbar. nicht unflott. sendefertig. verunsicherbare. gestorben. konkurrenzlos. blank.

Im Umkreis der Familie.

Was ist eine Familie: ein gesellschaftlicher Verband, der gesellschaftlichen Fortschritten im Wege steht oder wegen seiner Zukunftslosigkeit sie erst notwendig und möglich macht? Die Familie weiß keine Antwort, jedenfalls nicht der Teil der Familie, der zum Familientag sich eingefunden hat; mit anderen Worten: dieser Teil der Familie diskutiert keine Frage, die keine Frage ist. Sondern es ist, sagt der Jurist in der Familie, das Problem einer Generation, die sich aller Familientradition entschlagen hat. Warum nur wohl, wo die Familie immer zusammengehalten hat, über alle Differenzen hinweg, was heißt da Differenzen, achtzehn blieben wir kaisertreu und dreiunddreißig wußte es keiner, was dann am Ende alles kam, das hat ja überall Opfer gekostet, Leid gebracht, Jahre der Not, Hunger und Flucht. Die Familie ist groß und sich einig, daß sie unübersehbar, durch auseinanderstrebende Interessen getrennt, namentlich nicht mehr identisch und nur in Beerdigungsfällen, und auch dann nicht vollzählig, um einen Tisch versammelt ist. Das schwarze Schaf, der Fehltritt, der Skandal, die Mésalliance: das kommt in der Familie nicht vor, das heißt, die Wörter für Schimpf und Schande kommen in dem Maß nicht vor, wie die tonangebenden Familienmitglieder sich an den Gebrauch der Wörter der Toleranz, der Aufgeklärtheit und der Emanzipation gewöhnt haben. So gewöhnt haben, daß die Auffassung herrscht, Toleranz und Aufgeklärtheit gehörten zum ältesten Traditionsgut der Familie. Cousine Karla ist an der Goldküste glücklich mit einem Goldküsten-Mann verheiratet. Vetter Wilhelm hat als Monteur eine schöne Karriere gemacht. Onkel Hermann mit seinem Rauschgift war ein tragischer Fall und hatte Einflüsse von seiner Mutter, mit deren Familie niemals ein Kontakt bestanden hat. Einige Familienmitglieder würden sich gern als Clan verstehen. Kommt doch mal sonntags zum Federballspielen. Ariane, drittes Semester, sagt, daß diese Familie als Ausdruck der bestehenden Herrschaftsstrukturen zerschlagen werden muß. Auf dem Familientag werden die Filme vom vorigen Familientag gezeigt. Der Familientag geht reihum bei den Mitgliedern, die sich als Kern der Familie verstehen: das sind einige Geschwister samt Ehepartnern, aber die Kinder, erwachsen, verheiratet, geschieden, wiederverheiratet, mit Kindern und dazugeheirateten eigenen Familienbindungen, sie kommen schon nicht mehr. Was hast du gegen deine Familie, Ariane? Die winzige katholische Minderheit (also der Junge hat das Mädchen ja unbedingt heiraten wollen) wird von der evangelischen Mehrheit der Familie längst akzeptiert, eingeschlossen die Tatsache, daß die Familie nun einen weiterwachsenden katholischen Zweig hat. Der Patriarch in der Familie ist als Begriff ein vielverspotteter Anachronist; er existiert offenbar nicht, was indessen nicht ausschließt, daß sich in den einzelnen neu gebildeten Familienkernen neue patriarchalische Verhältnisse heranbilden können. Sieh nach, ob die Zeitung im Briefkasten steckt, und denke daran, daß der Briefkasten wieder abgeschlossen werden muß. Die Familie hat keinen und arbeitet nicht in einem Familienbetrieb. Denn wir sind hier nicht bei Krupp, und wir hätten auch niemals tauschen wollen. Dennoch. Was? Dennoch hatte die Familie noch einen ökonomischen Sinn, als sie noch eine Produktionsgemeinschaft war. Hat die Familie denn keinen ökonomischen Sinn, wo sie eine Konsumgemeinschaft ist? Was würde Ariane sagen? Was würde die Lebens- und Wohngemeinschaft sagen, in der Ariane leben und effektiv verändern will, aber sich nicht richtig traut, weil, wie die Lebens- und Wohngemeinschaft sagt, sie sich nicht traut, ihren reaktionären Individualismus abzulegen, oder anders, weil Ariane sich nicht traut, ihren Monatswechsel zu riskieren? Würde sie das, nämlich riskieren? Würde sie in der Tat riskieren, hätte Ariane dann recht zu sagen, daß diese verelendete Konsumgemeinschaft von Familie ein Instrument gesellschaftlicher Repressionen sei? Ja: sagt der Jurist in der Familie und verursacht eine Diskussion, wie sie der Familientag nur während der Spiegel-Krise, nach dem Sechs-Tage-Feldzug und nach den Mai-Unruhen erlebt hat. Der Familientag findet immer im Herbst statt. Die Familie hat eine englische Gewohnheit übernommen, das heißt, ab achtzehn Uhr gilt die Sonne als untergegangen und Johnny Walker kann wieder kommen. Fast alle in der Familie waren früher strenger, schlichter und bescheidener als heute. Da werden oft Witze gerissen, die, als alle Großeltern noch lebten, nie gerissen worden wären. Was fragwürdig geworden ist, ist fragwürdig geworden nur auf Grund der Gewöhnung an ein Vokabular, das Fragwürdigkeit vermittelt. Aus der Familie kriegt kein Außenstehender etwas heraus, wenn es sich um innerfamiliäre Probleme handelt. Die Familie kann wie ein Mann sein. Keine Krise ist so schwer, daß sie die Loyalität der Familie gegenüber jedem einzelnen Mitglied in Frage stellen könnte. Als Onkel Friedrich einsaß. Als Vetter Rudolf sich zum zweiten Male scheiden ließ. Als Cousine Olga lesbisch wurde. Als Vetter Friedrich von der Brücke sprang. Als Neffe Joachim im Suff fünf Automobile zu Klumpen fuhr. Als Schwägerin Elisabeth die Affäre mit Onkel Dieter hatte. Als Onkel Josef die Sache mit der Abtreibung zugeben mußte. Als Nichte Christa aus der Sauferei nicht mehr herauskam. Als

Tante Else Onkel Robert davonlief. Als Onkel Robert mit Cousine Trudel zusammenlebte. Als Onkel Max pleite ging. Die Familie, auf meine Familie lasse ich nichts kommen. Mit meiner Familie habe ich mich abgefunden. Meine Familie könnte ich umbringen. Ich gründe eine neue Familie. Meine Brüder, meine Schwestern, meine Vettern, meine Cousinen gründen immer neue Familien. Wie geht es deiner Familie. Meine Familie läßt deine Familie grüßen. Unsere Familien sind eine einzige Familie. Meine Familie ist der Kern des Staates. Deine Familie ist die Wurzel des Volkes. Seine Familie ist der Grund seines Elends. Wenn Ariane Familienminister wird, Ariane sagt, wenn ich Familienminister werde, dann gibt es als erstes keine Familien mehr. Aber der Familiensinn. Hat keinen Sinn mehr: Weder findet die Produktion in der Familie statt, noch ist die Familie an der Produktion beteiligt, und das war historisch einzig Sinn und Funktion der Familie, die Produktion. Es gibt viele Familienmitglieder, die bestimmte Gedankengänge überhaupt nicht verstehen. Diese Familienmitglieder wären dagegen imstande, sich in einem Familienroman wiederzuerkennen. Aufstieg und Tragik. Untergang. Der Familiensitz verfällt. Sonntags fahre ich schon mal zur Oma rüber. Oma, wo habe ich in dieser schönen alten Küche immer gesessen, wenn ich das Butterbrot mit Senf gegessen habe. Ich kann nicht aufhören, in den alten Schränken und Akten, Ställen und Fotoalben, Schulheften und Spielkisten herumzuwühlen. Oma hält zu mir. Sie sträubt sich gegen das Telefon, den Fernseher, den Kühlschrank, was ich ihr alles immer einreden will. Oma hat das Haus nicht weggegeben, weil ich gesagt habe, daß das Haus voller Erinnerungen ist. Oma ist allein. Alle weg und tot. Kein Besuch. Alles im Haus wie immer. Früher lautes Haus. Viel Feste. Garten riesig. Gartenmöbel weiß. Winterobst. Treppenhaus. Wandteller. Eckbank. Neue Familien werden neu gegründet, und die Familienchronik kennt Fälle, in denen der Familiengründer erst einmal die alte Familie hat kaputtmachen müssen, um den Weg frei zu haben für die Gründung der neuen Familie, die erst nach langen Jahren der Nichtanerkennung vom Familientag anerkannt worden ist. Aber der Familientag ist gerecht. Wer zur Familie gehört, weiß das. Dieser Tag ist ein Fest. Im nächsten Herbst ist der Familientag wieder ein Fest.

Wir werden jetzt für Unruhe sorgen.

Wolf sitzt und starrt böse in die Menge unten, die sich nicht rührt. Er hat einige Sätze losgelassen, von deren Wirkung er überzeugt ist, aber die Menge unten rührt sich nicht. Die Menge wartet, daß Wolf noch mehr Sätze losläßt, die Menge will Sätze. Die Kameras schwenken und surren; wenn die Kameras nicht schwenken und surren würden, hätte Wolf mit seinen Sätzen nicht angefangen. Ein Zettel wird ihm hingelegt: Gib's ihnen! Wolf hat mit dem Grundig-Gerät seine Stimme ausprobiert und weiß, daß sie hell und scharf ist. Muß ankommen, hell und scharf, und durchdringen. Wolf hat alle Sätze schon Mischa, Uwe und Gitte vorgelesen; Mischa hat das mit der Eskalierung dufte gefunden, Uwe den Angriff gegen das Privatistische, Gitte alles. Wolf ist mit seinem Mund ganz dicht an den Mikros dran. Wolf hat kurze Sätze gemacht. Ganz hart. Wolf hat früher weiche Sätze gemacht, als die Zeit der weichen Sätze war. Will die Menge weiche Sätze? Wolf hat plötzlich Angst, daß er nicht weiß, was die Menge für Sätze will. Wolf weiß, daß er es wissen muß, denn er weiß, daß, als er noch nicht gewußt hat, was die Kamera und das Mikro will, keine Kamera und kein Mikro gekommen ist. Die Zeit mit den Metaphern, die

Zeit vor Mischa, Uwe und Gitte, die uneffektive Zeit. Wolf lauert. Wolf ist vorsichtig und probiert vorher aus. Probiert Diskutieren aus. Die Menge will diskutieren, und Wolf. fordert auf, daß sie diskutieren will. Die Menge rührt sich nicht. Ist was? Muß er andere Haare probieren, neue Stimme, Sing-Sang, Sätze sanft? Wolf wird resignieren, wenn resignieren nicht mehr gestrig ist. Wird ausprobieren, hat destruieren ausprobiert. Die Menge lacht, hat gelacht, nicht verstanden, nicht reflektiert, aber gelacht. Wolf hustet. Die Menge horcht auf. Wolf horcht auf. Hat die Menge aufgehorcht? Wolf tastet ab: Wirkung, Husten. Die Menge rührt sich nicht. Wolf starrt in die Menge unten und weiß nicht, was läuft. Mischa sagt: Granaten. Uwe sagt: Blumen. Gitte sagt: passé. Wolf weiß nicht mehr, was er probieren soll: Sätze, Granaten, Blumen, Äpfel, Härte, Beispiele, Leder, Zerstörung, Ratten, Füllfedern, Teer.

Spuren und bin ich noch da?

Den ganzen Nachmittag habe ich im schwarzen Butterfly-Sessel gesessen. Durch den ersten fallenden Schnee bin ich gegangen. Den Telefonhörer habe ich abgehoben und wieder aufgelegt. Eine Apfelsine habe ich mit den Fingernägeln geschält in der Küche. Meine Nase schmerzt von dem Schlag in der vergangenen Nacht auf meine Nase. Meine Hand wischt die Radierkrümel von der Heftseite. Das Laub im Herbst habe ich liegengelassen im Garten. Auf der Rheinbrücke habe ich gestanden und mir Gedanken über den vergangenen Sommer gemacht. Die Scherben der zum Platzen gebrachten Selterswasserflasche habe ich liegengelassen wie das Laub. In der dunklen Fensterscheibe sehe ich mich sitzen bis ich aufstehe und weggehe. Was ich gesagt habe kommt wieder zu mir zurück. Meine Fußabdrücke im Schnee finde ich nicht wieder im Schnee. Das Licht habe ich brennen gelassen. Gestanden habe ich alles. Verschwiegen habe ich alles. In der Zeitung lese ich meinen Namen in einem Bericht über eine Person die ich nicht bin. In einem Gespräch werden mir Sätze vorgeworfen die von mir nicht gesagt sind. Liegend sehe ich meine unerreichbaren Füße. Sprechend sehe ich meine Wörter nicht. Den ganzen Tag hat jemand gewartet daß ich anrufe. Der Augenblick jetzt in dreißig Jahren ist eine Hoffnung. In eine Pappel werde ich verwandelt sein.

Mit einem Sack über dem Kopf draußen.

Was die Gesellschaft denkt, kann egal sein; es ist aber nicht egal, auch wenn du es leugnest noch und noch. Stimmen kommen näher und bleiben in der Nähe. Viele Schritte, im Wald bist du nicht. Worin besteht Anonymität: jedenfalls nicht darin, daß man sie offen demonstriert. Demonstriere deine Anonymität und du bist mitten drin. Du willst nichts mehr sehen, und du wirst selber gesehen: was nützt das? Kein Verstecken ist das: du versteckst dich um unbeobachtet beobachten zu können. Nun erfährst du nichts. Nun bist du ein Objekt, das seinen Ort nicht kennt und nicht weiß, wer es bewegt und anrührt, naß macht und quält.

Anders verhält sich der Objektmacher Franz Erhard Walther als *Blindobjekt.* Zitat seiner Aufzeichnung: gleichzeitige Vermutungen – Sonnenaufgang. weite Fläche. links Wald. Freunde entfernen sich. kleiner Busch Wasser in der Nähe. Wand. Irgendwie überstehende Holzbalken. gespannter Draht. Wolken. Irgend jemand nähert sich. Gras-

haufen. Straßengraben. große Blechtonne. Vogelschwarm aufgeschreckt. Werkzeuge. Brett. Sonne scheint. Honig in der Nähe (Bienenstöcke?) weit vom anfänglichen Ort entfernt. Gelände hügelig. Drahtzaun. Holzgestell. 10.00 Uhr. Wind
Zweites Zitat: da keine willentlichen Eingriffe da waren, vielmehr alles wie von selbst kam, entstand ein tiefes Vertrauen zu den Erfahrungen. (Franz Erhard Walther: Objekte, benutzen. Verlag Gebrüder König Köln New York.)

Noch einmal zur Erinnerung die Reklame für den Bücherladen von Walther König zur Eröffnung und wie es mit dem Passierten ungefähr gewesen ist.

Diese neue Buchhandlung befindet sich nicht im Wald. (Voll der ganze neue Laden die Leute quetschen sich ja bald zur Straße raus) Etwas so Altmodisches wie ein Buch wird man in Zukunft wieder schreiben und lesen können. (Fast kein Buch ist ausgepackt in den Metallregalen die verpackten Bücher sehen aus wie von Christo) Auch heute haben wir Freunde getroffen, die endlich nun glücklich geworden sind. (Da ist die Schnapsecke hineingequetscht dauernd angequatscht kann nur winken von fern als Wibke kommt) Im Ortsregister des Großen Shell-Atlas findet man die Stadt Köln unter den Ziffern 42, Außen 10. (Nach den ersten Klaren wieder sprechfähig geworden fange ich an auf Klaus und Fanny einzureden fließende Sätze) So einfach funktioniert das Suchsystem, wenn man sich vorstellen kann, daß jede Kartenseite in 24 kleine Felder aufgeteilt ist. (Nun mit diesen einigen Schnäpsen kommt ihr dennoch fein mit eurem raschen silbernen Roadster heim wenn dies das einzige Problem ist in dieser Geräuschwelt) Gibt es denn gar keine Worte in dieser Welt, die nicht die

Worte sind, die ich immer höre, klagte Schneewittchen laut. (Wo in diesen Bücherpaketen finden wir denn Barthelmes *Snow White* zum Verschenken versteckt ein Klagelied mitten aus reicher Gesellschaft) Dagegen wird jeder weitere Satz kaum etwas ausrichten können. (Immer mehr schnellsprechende Leute klettern umher mit Flaschen Büchern Objekten in dieser Vernissage ist ein Ereignis nicht weiter nötig ist Realität noch immer viel weiter als was in der Kunst) Breite Straße, ja, es bleibt dabei. (Verabredet haben wir uns ja fast anscheinend alle und nun kommt auch der städtische Untergrund mit seinen Megaphon-Poeten zum Vorschein und blickt sich wild in der Ansammlung träger Literaten und Galeristen um) Dann werden wir gleich in der Nähe eine Anzahl kleinerer Kneipen haben, in denen wir uns, todsicher, später wiedersehen werden. (Genauso ist es ja dann auch als wäre Reklame reine Prophetie gekommen aber vorher tauchte noch Candida auf und gab Väterchens Anweisung weiter daß ein paar Auserwählte ihn zu finden hätten später um zwei in Struwes neuem Laden im Carlton) Also muß es neue Bücher geben, wenn es einen neuen Bücherladen gibt. (Der uns fehlte immer zum Herumsitzen und so wie bei Sylvia Beach einst in der goldenen Ära der Geister noch unter uns) Mehr und mehr Wagen drängeln sich in den engen Straßen unserer alten, nassen Stadt, und wir sind nicht mehr glücklich, wenn wir anfangen zu denken. (Da stehn nun Hans und Nanne ein bißchen hilflos ohne Regie kann nicht hinüberrudern durch die Menge und fragen sagt mal was ist denn nun when the show is over hier) Das Lesen eines Kataloges von Warhol ist besser. (Schnelle Kunst schnelles Leben schnelles Sprechen schnelles Überallsein schnelles Vergessen) Mitten in der Erzählung stellt sich ein frostiges Schweigen ein, dann folgt eine bestürzte Pause, am Ende bleibt eine Kluft voller Zweifel und Argwohn. (In dieser Bücherumgebung macht Zitieren nur aufmerksam auf das irgendwie zusammenhängende Denken und Sprechen einiger in allen Fernen lebender und dabei doch ähnlich denkender und sprechender Genossen dieser Zeit) Weiterhin gleich in der Nähe wird die Tageszeitung gedruckt. (Aber nun habe ich doch schon einen sitzen und ich will raus aus dieser Paketluft in die Pressehausluft wird schon der EXPRESS wieder ausgerufen und wo steckt er denn Alfred war Reinhold da und Ernst mit Anhang und Clique zum Bepi geht's jetzt nebenan sitzt schon wieder alles voll mit Spaghetti und dünnem Kölsch) Im Grunde ja ist jeder Satz Reklame. (Aber für gute Sache und Freunde sag liebe Gundula wo befindet sich denn unser Hannes etwa eben im nahen New York und kauft sich wieder Avenue-Anzüge) So ist es zum Beispiel nicht anders mit der Erwähnung der Stadt New York. (Und wieder nach Rango befragt ja nicht glücklich im eiskalten Frühjahr solo in der Kajüte des Kapitäns zwischen Venedig und Korfu) Alle Zöllner werden erbleichen beim Öffnen der Bücherpakete. (Hat ja auch schon bald der Staatsanwalt die nassen Finger drin im Erotic-Katalog) Der Mensch, der Bahn fährt, will auch lesen. (Alle sind nun aber verstummt die je einen sogenannten Reißer dachten von mir haben zu können erfolgreich mit Gewinn) Versuche es: schon wenige Wörter bleiben nicht ohne Wirkung. (Bloß die Trinksachen bleiben aus wo hier laut gerufen wird und die Mädchen zwitschern vergeblich nach einem Prinzen im goldenen Lack) Bald wird es auch Gedichte geben, die wieder Glanz ins Leben bringen. (Alle engagierten Dichter brummen in die leeren Biergläser und drohen zu zerschmeißen mit den Schreibmaschinen die Biertische den Markt die Gesetze das schützende Glas) Erst benutzen, dann wegwerfen, so geht es weiter. (Wir sollten schimpfend hier raus sag was schaut dich so dringlich dieser schwarze Beau immer an Wibke) Keine Langeweile ist in allen Straßen der Umgebung. (Sag wohin nun Candida führe uns denn ich bin betrunkener geworden seit den Anfängen zwischen lauter gelben Paketen war eben doch der Dümpelmann und seine Dümpelfrau zu sehen und ein gleißnerisch schönes Kind mit einer Narbe auf der Nase sag wo's Carlton ist weg ein jeder Freund) Der Mann ohne Buch, das ist ja gar kein Mann. (Wirklich ist er Väterchen schon weg he hello Hänschen sitzt aber und Nanny da in dieser neugelackten Bretterhütte und wer noch alles redaktionell verbunden hab ich alles glatt vergessen nun Wibke stütz mich den Armen) Man kann sich nun auch mal verabreden hier, der Eintritt ist ja frei und diskret die Bedienung. (Womit indessen Freund König gemeint ist verstehst du Reklame sagte ich war's und mein Hannes hat dazu das typographische Plakat gemacht weiß jeder der's noch hat und dies hier liest zum Erinnern speziell auch für myself zum Erinnern) Alles liegt offen herum, und schön sind die Geräusche der Straße. (Nun haben wir nochmal angefangen gewaltig zu tafeln und Streitereien entstanden neu über gewisse proporzmäßige Abhängigkeiten diskutiert bis immer betrunkener und Väterchen kommt doch nicht mehr in der Nacht draußen drüben schwarz der hohe Dom wackelnd packt mich oh Wibke lady be good in den Morris und im großen grünen Mustang braust Mr. und Mrs. Rodenkirchen winkend ab zum Parkplatz ab und ich falle in den glitzernden dunklen filmgerissenen Traum) Dann fahren wir in den Wald, denn wir haben nichts gegen den Wald. (Wach sitzend im frühen Vogelgezwitscher im dämmrigen Exportmodell letztmalig und ich müßte ja nun wach sein und ganz mit frischen Sinnen versehen losfahrend nüchtern und nüchterner geht's doch nach Haus auf freier Straße blinkend nanu was für Sternchen flimmernd und träumend he wach bleibend frisch freier heimwärts bald heller und he doch was war's für ein Filmchen wieder nick nicht he he ja und da kommt schön langsam die Kurve schwingend ins letzte Stückchen nach Haus nach dieser

Nacht ist plötzlich ganz dunkel ins Dunkel genickt weg für eine schwarze Sekund bis krachend plötzlich und krachend wieder wach hellst plötzlich zwischen Chausseebäumen wild im Slalom und krachend noch einmal und krachend noch einmal bleibt zwischen den Bäumen dann liegen mit aufgerissener Flanke hinterm geknickten Steuer all out ja nun rappel dich raus mal aus deinen Trümmern und blick auf die vierfachen Trümmer zurück in der Stille voll zwitschernder Vögel) Sonst fehlt uns nur der Mississippi, ein Hotel mit Namen Chelsea, eine bessere Untergrundbahn, mehr Sonne und mehr Seele. (Jetzt erschieß ich mich hat er im Polizei-VW gesagt protokollgetippt und weiß nicht wie's passiert als weggenickt im Hellen jetzt Blech und Glas auf der Straße taubstummer Zeuge schlaftrunken kommen aus den Häusern alles durcheinander nun eins nach dem andern zum Protokoll der Abschleppdienst routiniert und aus den Trümmern klaube ich die ganze vergangene Epoche im Mantelsack oh lady be good lauf ich fort über die Nachtigallfelder ins Vondererdeverschlucktsein voll zwitschernder Vögel die nichts beweisenden Bäume sind tröstender als Betroffene in Schlafanzügen auf der frühen Straße gestikulierend kommen noch die Folgen sind amtlicherseits bis in die personalen Papiere spätestens wie's war liebe Freunde endete die lustige Nacht mit Schlafanzügen unter Chausseebäumen unverletzt alle noch dankbar später das sagt man dicke Ende am Ende den Film nicht vergessen mit Rissen bis jetzt) Der Anfang, immerhin, ist ja nun gemacht.

Aber gibt es hier denn keine Natur, die noch Natur ist unvermittelt, menschenfrei?

Der langsam nun herabsteigende Schnee. Der neue Schnee kommt wütend. Der neue Schnee kommt ohne Warnung. Der Schnee ist alt. Der Schnee ist der älteste Weismacher. Der Schnee ist zeitlos wie der Schnee. Der Schnee, indem er alle Unterschiede aufhebt, der Schnee ist sozialistisch. Der Schnee ist ein freies Flockenspiel. Im Schnee bleibt die Winteroffensive stecken. Der Schnee macht die armen Schneeschipper reich. Der Schnee ist nicht tödlich wie das Pulver. Der Schnee ist kein General wie der Winter. Im Schnee stirbt der Seemann nicht wie auf See. Der Schnee gibt nach. Der Schnee will im Dschungel nichts. Der Schnee will, wenn er will, nur die weiße Herrschaft. Der Schnee verrät den Dieb, der seine Spuren im Schnee läßt. Der Schnee ist eine Saison. Der Schnee ist ein Opfer der Schneeballschlacht. Der Schnee verzieht sich vor der Sonne. Der Schneemann ist in seiner Welt im Schnee. Der Schnee im heißen Sommer ist die verkehrte Welt. Der Schnee ist kein kalter Krieg. Der Schnee geht weg, wenn der Regen wiederkommt.

Von Zimmer zu Zimmer.

Völlig übers Ohr gehauen sind wir mit diesem rissigen Verputz; immer aufs Neue wird der Liefertermin für die halbbezahlte Ledereckgruppe verschoben; jeden Morgen macht das Gerausche in allen Badezimmern das übrige Haus wach; kein Raum ist da, wo man die elektrische Eisenbahn stehen lassen, Tischtennis spielen oder einfach was abstellen kann. Natürlich war Helen voller Skrupel, als einer der Amerikaner von ihrem Paris-Trip im Herbst plötzlich vor der Tür stand, vor allem, weil es wegen dieser Affäre mit Nora zu Spannungen gekommen war, die Nora fast dazu gebracht hatten, die Wohnung jetzt einfürallemal zu verlassen. Ich gehe in mein Zimmer, wenn es mir zu langweilig geworden ist in den anderen Zimmern des Hauses. Der im Flur stehende Amerikaner hieß Jeff. Aber was helfen nun alle unkonventionellen Raum-Lösungen, wenn sich an der patriarchalischen Struktur des Familienlebens nichts geändert hat, wenn beispielsweise den Kindern weiterhin verboten bleibt, mit ihren Mopeds den Wohnbereich zu durchqueren oder die Fernseher so einzustellen, daß alle drei Programme überall gleichzeitig zu sehen sind. Jeff hätte ja irgendwo in der Nähe des Hauptbahnhofes ein billiges Hotelzimmer nehmen können, aber wie Helen beteuerte, war er tatsächlich total abgebrannt. Wenn ich schon vermiete, sagte Frau Matthäus, muß sich das Risiko, von den eigenen Mietern betrogen, ausgeraubt, vergewaltigt und enteignet zu werden, wenigstens rentieren. Jeder muffelt abends in seinem Zimmer für sich allein, und warum sollte auch einer was dagegen haben, wenn jeder dabei ganz still und zufrieden ist. Vom Wohnzimmer hat man Aussicht auf einen Acker, vom Schlafzimmer hat man Aussicht auf eine Wiese, von der Küche blickt man wieder auf einen Acker, im Klo guckt man noch mal auf Wiese, aber nicht mehr lange, nicht mehr lange. Wo soll der Herr denn schlafen, will Nora wissen. Testen wir mal unseren Geschmack, wie wollen wir's denn haben: rustikal neuzeitlich? sachlich modern und unauffällig? elegant aber nicht aufdringlich elegant? gemütlich im gemischten Stil? wohnlich repräsentativ? schlicht? saharagelb? zukunftsbezogen? romantisch angehaucht aber mit einem Zug zur Strenge? oder zeitlos am besten? Wochenlang der Blick auf die anfliegenden und abfliegenden Düsenmaschinen in dem Himmel in dem Fenster in dem Hotelzimmer im Hotel Berlin. Helen saß völlig gespalten im Wohnzimmer Jeff gegenüber; Nora ließ sich nicht blicken. Die Gruppe will jetzt in einem Kollektiv wohnen, in dem es keine alten Leute mehr gibt, die ins Altersheim müssen, keine Kinder, die in den Kindergarten müssen, keine Armen, die ins Armenhaus müssen, keine Diebe, die ins Gefängnis müssen, keine Pärchen, die getrennt in die Elternhäuser müssen, keine Tiere, die ins Tierheim müssen, keine Narren, die ins Narrenhaus müssen. Gartenzimmer, Rauchzimmer, Nähzimmer, Mädchenzimmer, Musikzimmer, Herrenzimmer? Nora überlegt hin und her, ob sie gehen soll und wenn sie geht, wohin sie gehen, ob sie wegbleiben und wo sie bleiben soll. Das Zimmermädchen war kein Zimmermädchen, sondern eine Agentin, die Minisender in Telefonmuscheln einbaute und mit Handkantenschlägen reagierte, wenn man sie dabei störte. Und ein Blick in die Wohnräume genügte den Beamten, um zu wissen, daß sie nicht umsonst die Türen hatten gewaltsam öffnen lassen. Der Amerikaner blieb die Nacht auf der Couch, und Helen in ihrem Zimmer dachte daran, wie anders es im Herbst gewesen war. So bleibt in jedem Fall das Bedürfnis nach einer Individualzone, in die sich das einzelne Mitglied nach allen gemeinsamen Sitzungen, Diskussionen, Arbeitsplanungen und Aktionen zurückziehen und wo es ungestört meditieren und auf die nächste gemeinsame Sache sich vorbereiten kann. Aber wo wir nun extra das Fernsehzimmer eingerichtet haben, damit die Fernseher für sich sind und die Nichtfernseher auch, jetzt sitzen wieder alle im Fernsehzimmer aufeinander. Nora schloß sich ein und kam sich wie eine Gefangene zwischen den eigenen vier Wänden vor. Oben hört keiner das Telefon unten. In welchem Zimmer, sag, wo bist du jetzt? Und ist es nun tröstend oder ist es deprimierend zu wissen, daß in den Zimmern da unten, die beim U-Bahn-Bau jetzt immer gefunden werden, die Leute genauso weitergemacht haben, bis aller Trouble ein Ende nahm? Und da breitet sich langsam ein Fleck an der Decke aus; und hier diese Tür schließt nicht mehr; nebenan löst sich die Tapete von der Wand; von unten kriegen wir das Zweite, von oben kriegen wir das Dritte mit; und gestern ist der Spiegel im Flur runtergekommen; heute ist mit dem Wasserdruck überhaupt nichts mehr los; morgen ist hier wieder Ortstermin und das ist dann das dritte Mal, daß wir neben den festgestellten die neu aufgetretenen Mängel alle genau ins Protokoll sagen sollen; und nächstens sind wir dann so weit, daß wir alle in der Gegend wieder rausmüssen hier wegen der Feststellung daß überall zuviel Sand im Beton ist.

Erzähle mal, was war denn Luxus?

Eine Gegend ohne kaputte Fensterscheiben. Mein Vater brachte einen Rucksack voller Weizenkörner und eine Flasche Rapsöl mit. Ein sauber geflickter Fahrradschlauch. Hölzerne Sandaletten mit hohen Absätzen. Wenn Hugo der Onkel kam und mich von seinem Tabak mitdrehen ließ. Ein Paar neue Fußballschuhe. Das, was man eine Sonderzuteilung nannte. Geklauter Koks. Nachts hochschrekkend aber es blieb still draußen keine Sirene. Tage ohne Razzia. Geliehene Jazzplatten als es noch keine Jazzplatten gab. Wenn der Posten im richtigen Augenblick wegguckte. Ein Sitzplatz im Gang auf dem Koffer. Samstagabend baden. Ein regelmäßiger Gasdruck. Der zweite Schlag Graupensuppe mit Pflaumen. Sonntags ein Ei. Meine Mutter hatte Geburtstag wenn die Erdbeeren da waren. Karnickelställe mit Karnickeln drin. Ein ganzer Acker voller Tomaten. Eine neue Fußballblase. Blöcke selbstgekochter Seife. Klöße bei der Oma. Ihr könnt wieder nach Hause. Das Aufhören der Verdunkelung. Büdchen mit Reibekuchen auf der Hohe Straße. Als die Gartenhaus-Küche einen Fußboden bekam. Fähnchen im Ausverkauf für ein Kopftuch. Der zufällig gefundene Teefixbeutel. Fünfzig Mark geschenkt an einem Tag, als kein Geld für die Straßenbahn da war. Das erste Honorar. Eingeladen sein bei Leuten die ein geheiztes Wohnzimmer haben. Ein Paddelboot bauten wir aus einem Flugzeug-Benzinkanister. Die Gewißheit nicht mehr innerhalb einer Nacht die Wohnung räumen zu müssen. Das Fuhrwerk für ein paar Möbel. Unkontrolliert bleiben. Mein Vater muß nicht mehr Angst haben abgeholt zu werden. Das Jahr in dem keine Kartoffeln mehr in den Vorgärten gepflanzt werden mußten. Erzählen können vom Davongekommensein.

Die Straße ist leer.

Ein Foto muß das sein aus den weit entfernten Zeiten vor den Kriegen, oder die Militärregierung hat ein Ausgehverbot erlassen, aber Wind ist da und die Regierung ist zivil wie mein Spazierstock. Oder ein sehr alter Mensch erinnert sich und geht in seiner Erinnerung in der Vorstadt spazieren; ja, ich gehe in der Vorstadt spazieren. Es ist weder ein früher Sonntagmorgen, noch ist Nacht, noch ist Fliegeralarm; ich bin kein sehr alter Mensch. Ist eine Krankheit vorstellbar, die alle aufeinmal umhaut, und könnte es sein, daß sie geheim gehalten wird, weil nur derjenige verschont noch bleibt, der nichts davon weiß? Ich weiß immer alles, jedenfalls bilde ich mir ein, daß ich immer alles weiß, so quasi im überbewußten Sinne, verstehen Sie das? Mit wem soll ich nun reden; ich habe ausnahmsweise das Bedürfnis mit jemand zu reden, ganz unverbindlich, keine Angst, ich packe nicht aus. Oder kann man auf eine Weise blind, nein, nicht blind, ich meine, kann das Sehvermögen auf eine Weise verändert sein, daß man plötzlich alles *so* sieht, wie es genau *nicht* ist? Ich sehe einen Baum, ich sehe noch einen Baum, ich sehe die Stelle, wo ein Baum gestanden hat, und jetzt geht es schon mit den Vermutungen los, denn was ist mit dem Baum, der jetzt unsichtbar ist, aber auf irgendeine Weise ja noch existiert, egal, ob Asche oder Zeitung oder Brett. Viel nachdenken, noch mehr nachdenken, nicht mehr aufhören, aus. Oder ist es doch ein Foto, und wir bemerken die Tatsache, daß jemand sich in einem Foto hin und her bewegt? Foto oder nicht: es ist niemand zu sehen, alles leer, nichts rührt sich. Und diese Leere in einer Gegend, die ansonsten dicht bevölkert und vom fließenden Verkehr nicht ausgenommen ist, erscheint auf eine Weise außergewöhnlich, daß eine spazierende Person, die sie wahrnimmt, plötzlich alles auf den eigenen Wahrnehmungsapparat bezieht; es könnte ja sein, daß die wahrgenommene Leere nur eine Projektion meines Bewußtseins ist, ein von meiner Phantasie eingerichteter Zustand. Oder dieser Zustand, wenn er wirklich real ist, kommt so selten, so niemals vor, daß er simpel einfach eine Irritation erzeugt, die sich in solchen Fragen äußert: ausgestorbene Welt? verschobene Zeit? Ausnahmezustand? Momente der Einbildung? Übrigens ist nicht wahr, daß ich mit einem Spazierstock unterwegs gewesen bin, weshalb auch der Vergleich mit der Regierung nicht stimmt, was wiederum nicht ausschließt, daß ein solcher Vergleich möglich bleibt, bei allem wachsenden Mißtrauen, und Mißtrauen ist gewachsen, in diesem Moment, als die Straße einmal ganz leer war.

Die Befreiung vom Zwang der Zuständigkeitsbereiche.

Die Zeitung am Montag ist die Zeitung für den Sportsfreund, für das Millionenvolk der Fußballfreunde besonders, und da kann keiner mitreden, der kein elementares Interesse am Tabellenstand der Bundesliga hat und nicht aktiv Bescheid wissen will, was in der Regionalliga los gewesen ist und in den Kreisklassen in der Gegend hier, nämlich wo niemals die Sportschau mit einer lumpigen Kamera hinkommt, auch nicht Bezirksklasse, auch nicht Bezirksliga: hat denn ein Sportsfreund zum Beispiel in Bayern mal was gesehen von, sagen wir, Rasensport Waldbröl, Hertha Rheidt, Rot-Weiß-Zollstock, oder kann sich Schleswig-Holstein vielleicht ausdenken, daß es einmal eine Pulcher-Elf in Hennef oder eine Elbern-Elf in Beuel gegeben hat, damals, als wir selber noch Aktive waren und froh waren, wenn wir einen offenen Holzkohlen-Laster für die Mannschaft aus der eigenen Tasche auf die Beine brachten, nicht so wie heute mit Sonderzug und hin und hergejettet, aber der ganze Stil hat sich ja geändert, das ganze System hat sich ja geändert, erklär das doch mal: ja, wo wir in der alten soliden WM-Aufstellung immer wußten, wer hinten den Laden dicht hält und wer vorne den Riegel aufreißt, garantiert dir heute keine Rückennummer mehr, wer eigentlich den Ausputzer machen soll und wo der Einfädler steht, denn der fliegende Funktionswechsel kennzeichnet das Spielgeschehen heute, und das heißt, erklär doch mal: ja, nicht mehr ist die Form des Buchstabens W identisch mit dem Aktionsbereich der beiden aus der Tiefe operierenden Halbstürmer und der beiden auf gleicher Höhe mit dem Mittelstürmer das gegnerische Tor angreifenden Außenstürmer, ebensowenig wie sich die Hintermannschaft noch im starren M-Schema des zurückgezogenen Stoppers, der beiden Verteidiger und der vorgeschobenen Aufbauläufer die eigene Spielfeldhälfte besetzt hält, sondern es ist die Praxis einer offenen Struktur, die den Aktiven vom Zwang eines Zuständigkeitsbereiches erlöst hat, so daß, mit Ausnahme der beiden Torhüter, die offizielle Mannschaftsaufstellung im Vier-Zwei-Vier-System keineswegs darüber entscheidet, wer den Ball aufs gegnerische Tor treibt und wer die Angriffe des Gegners vom eigenen Heiligtum abhält, vielmehr ist entscheidend, daß die jeweilige Funktion des einzelnen Spielers sich danach richtet, wer gerade im Ballbesitz ist, ob der Gegner angreift, ob die eigene Mannschaft einen Angriff führt, weshalb alle zugleich also stürmen oder verteidigen können, ich sage ja, das ganze System hat sich geändert, denn als wir noch Aktive waren, wußte jeder wohin er gehörte, und wer seinen Mann zu decken hatte deckte konsequent egal was passierte seinen Mann, denn der ging und stand ja auch wohin er gehörte und kurvte nicht einfach in der Gegend herum, hätte auch keiner durchgestanden dieses Laufpensum als Amateur; als Amateure sind wir ja noch mit dem Hut sammeln gegangen und alles geopfert und gemacht als aktive Sportsfreunde, echt, ehrlich, denn heute, was ist denn heute ist ein Profi einer der sich verkauft, hier hin, da hin, der ganze Fußball ist Markt und wer bezahlt den Markt, wir auf den Stehplätzen, bei Hitze und Regen und mit nassen Füßen, da verlierst du langsam die Begeisterung und denkst wie die Familie im Trockenen sitzt vor dem Fernseher, aber das ist es ja, da bezahlen wir ja auch mit unseren ehrlichen Groschen damit auf der Scheibe was zu sehen kommt und was kommt zu sehen? siehst du denn schön regelmäßig, warum Aachen grollt, warum in Hamburg alles in die Hosen macht, wieso Frankfurt baden geht, was Munchen zum Kochen bringt, warum Oberhausen Kopf steht, weshalb Braunschweig die rote Laterne angehängt kriegt, wo in Bremen der Wurm sitzt, wieso in Mönchengladbach die Begeisterung haushohe Wogen schlägt, wie Kaiserslautern in die Knie geht, warum Stuttgart völlig versauert, wer in Essen das Hemd voll hat, warum Berlin berechtigten Grund zum Jubeln hat, wie Hannover auf dem Zahnfleisch geht, warum Duisburg den Schwanz hängen läßt, wie in Schalke der Ofen ausgeht, warum es in Dortmund Freibier gibt und wer in Köln die Puppen tanzen läßt, na was kriegst du davon mit, was kriegst du zu sehen für dein Geld, Opern stundenlang, ich meine, nichts gegen Kuli und den Kommissar, aber die Sportschau ist einfach zu wenig, da sind wir uns einig, da schreiben wir mal hin, die Sportschau ist zu wenig, dafür gehen *wir* mal auf die Straße, mehr Sportschau muß sein, das muß doch einmal gesagt sein, das wollte ich schon lange mal.

Gestern: wann war denn das?

Ich erinnere mich nicht an das Wetter von gestern. Nun fängt schon wieder der Winter an; nun hat der Winter aufgehört. Gestern habe ich dieses Buch angefangen. Der Ahorn steht plötzlich ohne Laub da. Jetzt steht ein neues Haus da. Ich habe gestern ein Auto gekauft; wieder muß ich ein Auto kaufen. Ich schreibe eine Klassenarbeit; ich gehe durch den römischen Frühling; ich sitze im Fernsehstudio. Gestern ist die neue Rheinbrücke über den Rhein gebaut worden. Der Feldweg ist das Stück zwischen Kühltruhe und Kasse. Gestern hat der Krieg aufgehört. Wir sitzen am Ufer und betrachten die Trümmer der Brücke im Wasser. Dieses Holz ist frisch und naß; nun ist es alt und trocken. Gestern habe ich mich gefragt, wie es weitergehen soll. Gestern habe ich die Ölrechnung bezahlt; warum soll ich schon wieder die Ölrechnung bezahlen. Gestern haben wir viel Land besessen. Wo der Wald langsam gewachsen ist, steht kein Wald. Wieso will das Kind schon heiraten. Gestern bin ich mit meinem Vater auf der Landstraße festgenommen worden. Unser braunes Haus ist plötzlich ein weißes Haus. Wieso sind diese frischen Hemden aus der Mode. Ich habe vergessen, was ich gestern angefangen, verloren, getan, gewollt und vergessen habe. Gestern bin ich in diese Gegend gekommen; gestern hat es diese Gegend noch gar nicht gegeben.

Nadelwald finden wir dort, wo die Kartenzeichen der Karte den Bereich des Nadelwaldes markieren. Komm mit in das, was eine Lichtung ist. Mitten in der Lichtung müßte nun das Forsthaus stehen; das Forsthaus steht am Rand der Lichtung. Nun zeige mir den Laubwald; es ist ganz einfach, den Laubwald zu zeigen; beeilen Sie sich, mir den Laubwald zu zeigen. Heide; Heidekraut; ich stelle mir vor im lila Heidekraut zu liegen; das Traurigsein; ein Flugzeug über Schweden; ich erinnere mich an die Hexen-Heide mit Manon; die Landkarte zeigt nicht die Spuren der Panzer in der Heide; den Fahrer des Geländewagens warnt das Zeichen für Sand in der Heide. Die Kartenzeichen deuten auf Landschaft in Norddeutschland hin; Strandhafer wächst in Norddeutschland; wo Strandhafer verzeichnet ist, muß Strand sein; da ist der Strand. Man nimmt einen Strand wahr, einen Strand mit Kähnen, einen Strand mit Körben, einen leeren Strand, einen Strand voller Quallen, einen weißen, einen mit zerknackten Muscheln übersäten, einen steinigen, einen Strand voll zerschossener Amphibienfahrzeuge, einen verschneiten, einen schwarzen, einen Strand voller Transistorradios, mit Pferdespuren, voll Seetang, voll Buden mit Hamburgers und Cola, einen FKK-Strand, einen Militär-Gebiet-Strand, einen Strand voller Strandburgen, einen Strand am Karfreitag, einen Strand am Allerheiligentag, einen Strand mit Namen Hennestrand, einen Strand als Piste, einen Strand als Filmkulisse, einen Strand mit einem Strand-Hotel im Januar, einen Strand als Foto des Strandes von Dünkirchen, einen Strand im Zusammenhang mit dem Namen Wilma Montesi, einen Strand voll Apartement-Hochhäuser, einen Theodor-Storm-Strand, einen Strand der echten Kampener, einen Strand voll Zeitungen und Butterbrotpapier, einen Strand nach einer wirklichen römischen Party, einen Literatur-Strand, einen Strand mit Gerard Malanga, einen Strand voll weißer Baumstümpfe, einen pornographischen Strand, einen privaten Strand, einen unterentwickelten Strand, einen revanchistischen Strand, einen artifiziellen Strand, einen Landkartenpapier-Strand. Der Leuchtturm leuchtet dort, wo das Kartenzeichen einen Leuchtturm verzeichnet. Wenn es eine Wattengrenze gibt, markiert eine punktierte Linie die Wattengrenze, draußen, im Watt, in der Nähe des Zeichens für eine Bake in der Nähe der Tiefenlinien des Meeres. Eisenbahnfähre, Trajekt. Autofähre, Eisenbahndamm. Im Schlafwagen knipst morgens kurz vor dem Westerländer Bahnhof in seinem Single-Coupé der Programmdirektor des Westdeutschen Fernsehprogramms die Frühnachrichten im Kofferradio aus. Nach einem letzten Blick auf das Meer, auf das Kartenzeichen eines fernen Feuerschiffes, ziehen wir uns nun vom Meer zurück und gelangen zurück wieder in den Wald; es ist Mischwald, kenntlich daran, daß die Zeichen für Nadelwald und Laubwald gemischt sind. Ich reiche dir die Hand, um dir bei deinen Balanceakten über ein Pfützengebiet zu helfen; Hand in Hand folgen wir dem Pfad, der sich in dichten Buschwerk-Markierungen verläuft; Buschwerk, Unterholz, wir suchen was wo's weich und Moos und kein Gezweig reißt, sticht und knackt, Sonne hoch, ganz heiß und Schnaken summen über uns; versteckt, verschwitzt, und komm, und komm. Wie soll es weitergehen. Eine Straße findet man eingezeichnet in der Buschwerk-Gegend, nein, es ist die Autobahn mit einer Autobahnauffahrt, ich erfinde einen Sonntag und Massenverkehr dazu und es paßt dahin die Wiese jenseits der Autobahn als Campingplatz voll rosafarbener Plastic-Geräte zwischen Unterwegs-im-eigenen-Heim-Zelten und Bungalows-auf-Rädern-für-uns-zwei-beide-oder-die-ganze-Familie-mit-Hund; was hören wir denn da: das muß die Luxemburger Funk-Kantine sein. Gänsefüßchen mit Querstrichen bezeichnen eine nasse Wiese. Einige Schritte weiter warnt das Glucksen unter unseren Gummistiefeln vor weiteren Schritten in das Sumpfland, ins Moor. Also Westfalen. Aus dem Moor ragt eine Hand. Verstreut zwischen Seegras, Flügeltang, Rohrkolben, Tüpfelfarn, Sumpfporst, Wasserlinsen und Pfeilkraut liegen Frotteehemden, Caprihosen, Schaumgummikissen, Einwegflaschen, Klapptische, Picknickkoffer, Heinz-Suppendosen, Strandschuhe, Pappteller, Schuma-Kaffeedosen, Becks-Bierdosen, Robertson-Konfitürgläser, Löwensenf-Tuben, Colgate-Tuben, Michelin-Reifen, Good-Year-Reifen, Dunlop-Reifen, Marlboro-Packungen, Autositze, Weihnachtsbäume, Pirelli-Reifen, 59er Opel-Kapitän-Modelle, 48er Sofa-Ausführungen und weiteres Belastungsmaterial, das in eine kritische Abhandlung über gesellschaftlich vermittelte Natur und Leben-im-Überfluß hineingehört. Schöne Gegend hier. Ich verschicke Einladungen zur Eröffnung der Ausstellung. Nun müßte bald eine Bahnstrecke verzeichnet sein. Da ist die Bahnstrecke. Die Bahnstrecke wird gesichert. Die Bahnstrecke wird gesprengt. Da kommt der Europameister Stadt-Stadt. Wo wollen wir hin. Die Bahn fährt uns hin. Wo immer das ist. Scheinwerfer beleuchten die Szene an der Bahnüberführung; das Signal klappt herunter; Schnitt; das Gesicht des Posträubers erhebt sich über der Böschung; Schnitt; der Zug kommt langsam zum Stehen. Eigentlich ist das Kartenzeichen für eine Kleinbahnlinie etwas völlig Anachronistisches: denken wir einmal an das traurige Schicksal der Rhein-Sieg-Eisenbahn, Einheimischen der mittleren und älteren Generation als *Brölbähnchen* bekannt, wie es das schattige Tal der Bröl hinauf- und hinunterschnaufte mit seinen Schnauzbart- und Kopftuch-Passagieren zwischen Viehmarkt und Kirchgang in der alten Epoche der Leimfabriken und Lohgerbereien zwischen den Hügeln und Weiden im väterlichen Land; Omnibusse im Schnellverkehr besorgen die rasche Durchführung der Personenbeförderung heute. Die Landkarte kennt keine Kartenzeichen für Personen; die Landkarte ist nicht menschlich. Dies ist der Planübergang. Dies ist die Villenkolonie. Dies ist der Pegel. Dies ist die Straße III. Ordnung. Das nicht menschliche Kartenzeichen für eine Windmühle läßt uns innehalten; wir betreten die Windmühle und finden auf weißen Schaffellen um einen offenen Kamin gelagert alte Freunde. Alte Freunde verzehren ein Schaf. Alte Freunde saufen Gin-Flaschen alter Freunde leer. Alte Freunde sacken weg, poltern zur Tür rein, schaukeln im Schlafzimmer auf hängenden Schaukeln, spielen elektrische Eisenbahn, probieren Strickleitern aus, ballen eifersüchtig Fäuste, sitzen im Schneidersitz, rezitieren Texte, lachen Rittmeister aus, fragen nach der geschiedenen Frau, poltern mit neuen Gin-Flaschen herein, machen alte Freunde mies, motzen alte Freunde an, alte Freunde haben nach alten Freunden Heimweh. Und keiner kann uns eine Saline erklären. Aufwärts gekreuzte Hämmer bezeichnen ein Bergwerk; abwärts gekreuzte Hämmer bezeichnen ein verlassenes Bergwerk. Aus der Heimatkunde wissen wir von den ersten Nachrichten über den Bergbau in unserem Kreise aus den Anfängen des 12. Jahrhunderts; so soll der Erzbischof Konrad von Hochstaden im Jahre 1250 die Grube Lüderich zum Zwecke der Gewinnung von Mitteln für den Bau des Cölner Domes betrieben haben; der Dreißigjährige Krieg wird auch hier das Erliegen des Bergbaus bewirkt haben; erst im 18. Jahrhundert lebte der Bergbau wieder auf, bis er im vorigen Jahrhundert zur Gänze eingestellt worden ist. Im Holzkohlen-Generator-Lastwagen rumpeln wir über die Straße II. Ordnung auf eine Fabrik zu, deren Schornstein durch einen einfachen runden Kreis bezeichnet ist. Früher Morgen; wir springen ab und rauchen Bosco-Zigaretten; dann beginnen wir mit dem Abladen der Trümmer der Möbel im vertrauten Geruch der kochenden Rinderhäute und Schweinsklauen nach gelungener Flucht. Die kleinen Xe werden durch gerade Linien zum Kartenzeichen für einen Drahtzaun verbunden, der das Gelände umgibt, die Markierung des Geländes der Fabrik. Zurückfahren zum Bahnhof. Der eisige Wind treibt Stroh aus den offenen Waggons. Die Posten schieben in der stillen Hitze ihre durchgeschwitzten Mützen tief in die Stirn. Selbstgedrehte aus Kippentabak wechseln den Besitzer für zwei Mark pro Länge im regennassen Männerabort. Leimfleisch ist das Material des Hautleims. Eine gestrichelte Linie zeigt den rettenden Fußweg an. Keuchend weiter. Kurzer Abschied von der Stelle, wo die Schüsse gefallen sind. Ein Taschentuch voll Erde und Heidekraut. Keuchend weiter. Kraftlos öffnen sich die Hände. Keuchend weiter. Das Ankerzeichen gibt an, daß der Strom ein schiffbarer Strom ist. So sehe ich endlich den Mississippi und wir suchen nach den Spuren von Huckleberry Finn. Der Strom bietet sich als natürliche Grenze an. Sieh mal, da drüben, das ist Frankreich, und das ist Bolivien, und da fängt die Schweiz an, und da ist die Republik Kongo, und von hüben blikken russische Grenzwachen durchs Fernglas, und von drüben blicken chinesische Grenzwachen durchs Fernglas. Vom hohen Damm des Stammheimer Ufers schaue ich triste hinüber aufs Wiesenland und Buschland des gegenüberliegenden Ufers, wo einst im Grünen wir gesessen und hinübergeschaut haben auf den hohen Damm des Stammheimer Ufers. Auf der Karte finden wir die Autofähre von Glückstadt; in der Dämmerung dehnt sich der Strom der Elbe weit wie das nahe Meer aus; siehst du, wo die Insel in der Mitte des Stroms verzeichnet ist, umschifft die Fähre die meerwärts gerichtete Spitze der Insel. Bald stößt die Straße I. Ordnung auf einen Kanal. Die Fähre über den Kanal ist bezeichnet als normale Wagenfähre, nicht aber wird kenntlich der Umstand, daß diese Fähre als Lift über den Kanal mit einer Geschwindigkeit schwebt, die den Wartenden zwingt, zu warten. Warte einmal, wie ich gewartet habe und du weißt, wie verzweifelt ich gewesen bin und warum ich versucht habe zu vergessen, was ich doch niemals vergessen kann. Ich will dir auch nicht sagen, daß ich keine Nacht mehr schlafe, nein, ich will es nicht sagen, und ich will auch nicht sagen, daß ich wieder warten werde, und du wirst mir sagen nach einem halben Jahr, wie es dir geht. Wiederkehrende Kartenzeichen produzieren die Wiederholbarkeit der Erfahrungen nicht; die Kartenzeichen für Landungsbrücken sind beispielsweise nur mit sich selber identisch, nicht mit den soundsovielen Erinnerungen und Erzähl-Momenten, die irgendwas mit Landungsbrücken zu tun haben, mit Rundfahrten im Hafen einmal mit Dir und dann mit Euch und dann mit Dir und beim nächsten Mal mit Ihnen und wieder mit Dir, mit den Erregungen anläßlich der sitzenden Menge der riesigen Möwen, mit den radiophonen Einfällen anläßlich der Quietsch- und Knarrgeräusche in den Halterungen und zwischen den Bohlen, mit den Wahrnehmungen bestimmter Laute in der U-Bahn-Station *Landungsbrücken,* mit der Schlußeinstellung eines Films über bestimmte Spuren in Sankt Pauli bis runter zu den Landungsbrücken und so weiter mit Landungsbrücken von einem Hafen zum andern; zum Mülheimer Hafen, still mit rostigen Kähnen, gehen wir, über den Damm im hohen Gras und sitzen, still, im Gras, auf dem Damm, vorn, über dem braunen alten Wasser, zwischen den Steinen über den Resten des Hafens, zwischen den grünen Brücken, und blicken, vom hohen Damm, still, vorn, in der wassergrauen Luft, über den Resten zwischen den Ufern, aufs Ufer, auf den fischenden Jungen am Ufer, am Damm, im stillen Hafen mit rostigen Kähnen, im alten Wasser mit dem Geruch nach altem Wasser über dem alten Gelände des Hafens, bis Zeit ist zu gehen, über den Damm im hohen Gras, am braunen Wasser, und zu verschwinden, unter der grünen Brücke, unter den klirrenden Bäumen, im Park, dessen Kartenbezeichnung der des Buschwerkes ähnelt, jedoch sind es auf den zweiten Blick die Korkeichen, Zypressen, Pinien, Palmen und Granatapfelbäume, die Sarkophage, Säulen, Statuen und Amphoren, die einen römischen Park von einem mitteleuropäischen Park unterscheiden. Tausend Katzen kämpfen in der Nacht im römischen Park. Aus den klassizistischen Fenstern der Residenz leuchtet das Licht aus den hohen Räumen voll schnellsprechender Gesellschaft. Plötzlich knirscht in der Allee der Kies auf unter raschen Stiefelschritten: auch hier ist Johnny Walker dabei. Die Kartenzeichen für Mauer und Hecke gehen ineinander über. Dunkel liegt das Mielenforster Schloß auf den dunklen Mielenforster Feldern zwischen Dellbrück und Brück. Viele Kartenzeichen bleiben unbeachtet oder werden nicht gebraucht. Es gibt keine Ziehbrunnen hier. Wo ist die nächste Tongrube; wo steht der Kalkofen; wo findet man einen Steinbruch. Diese Ziegelei habe ich wiedergefunden, aber von den Leuten, die darin lebten, leben nur wenige noch. Zwei gekreuzte Schwerter, oder sind es Säbel, erinnern daran, daß wir uns auf dem Boden eines Schlachtfeldes befinden. Durch gellende Schlachtrufe wurden die trunkenen Böhmen geweckt, und schon fuhren auch die Schwerter und Spieße der bergischen Männer in ihre dichten Reihen. Als die Sonne aufging, war die Niederlage der Böhmen vollständig; nur wenige vermochten zu entrinnen. Das Tal des Kampfes aber erhielt von den vielen dort liegenden Leichen den Namen Leichlingen. Die Obstgärten von Leichlingen. Rheindörfer werden die nächsten verschwinden, und es breiten sich stattdessen die Kartenzeichen für neue Industrieanlagen aus. Die Zeichen für Einzelhöfe werden von Zeichen für Starkstromleitungen, Autobahnzubringer, Tankstellen und Einkaufszentren umgeben sein. Zeige mir das Zeichen für ein Denkmal. Der Friedhof ist nicht weit. Dazwischen liegt eine Schneise. Man kommt an einen Bach. Auf der Brücke über den Bach findet man das Motiv für ein Landschaftsbild, aber man sucht kein Motiv für ein Landschaftsbild.

Du kommst um eine Entscheidung nicht herum, Ariane.

So ist es. Ariane diskutiert; Ariane ist verzweifelt. Soll ich, fragt Ariane verzweifelt, die Familie umbringen, verwerfen, rechts liegen lassen, umändern, ausrauben, an ihren Widersprüchen kaputt gehen lassen, bloßstellen, enteignen, ausnutzen, permanent anmotzen, soll ich mit der Familie verhandeln? Die Freunde verlangen, aber jeder verlangt es anders. Ariane ist bereit, aber was soll sie tun? Sie muß etwas tun, sie weiß es, die Freunde lassen es sie deutlich wissen, sonst bist du dran, Ariane, du weißt es.

Hoch oben zwischen Siegtal und Bröltal.

Johannes und Elfrun sind glücklicher. Sie haben gebaut ein Wochenend-Haus, in das sie entweichen, wenn das Wochenende kommt. Johannes und Elfrun sagen: Hier oben sind wir glücklicher als da unten in der Stadt. Wir sagen: Dann geht weg aus der Stadt da unten, endgültig, und bleibt da oben, wo ihr glücklicher seid. Johannes und Elfrun sagen: Wir sind da oben nur glücklicher, weil wir nicht immer da oben sind, und wir brauchen es, dieses Gefühl, daß es eine Gegend gibt, in der wir glücklicher sind und in der es nichts gibt, das uns zwingt, zu bleiben und zu verzichten, auf dieses Gefühl, daß es eine Gegend gibt, in der wir glücklicher sind.

Erzählungen finden in den Geräuschen statt.

Es ist Stille, hörbare Stille, so lange, bis die Stille unerträglich scheint.
Ein sich näherndes Geräusch kommt nicht näher und verschwindet, ehe es zu definieren ist.
Plötzlich viele sprechende Leute, so viele, daß nichts zu verstehen ist.
Jetzt versteht man eine Zeitansage in einem Bordradio.
Das Geräusch des fahrenden Autos, ruhig, schnell, solide; selten leere Autobahn.
Es wird an eine Türe geklopft.
Schritte; sich entfernende Schritte.
Das Geräusch von Milchkannen vermischt sich mit dem Geräusch eines kalten Windes.
Blasinstrumente werden gestimmt; eine Silvesterrakete zischt ab.
Eine männliche Stimme, halblaut, am Telefon sagt: Gewiß. Aber ja. Ganz ohne Zweifel.
Das Geräusch eines durch die Luft sausenden Rohrstocks.
Holterdipolter die Treppen herauf und herunter.
Ein Augenblick ist Ruhe.
Eine unverständliche Rede wird von mehreren Simultandolmetscherinnen via Ohrmuscheln in unverständliche Sprachen übersetzt.
Wieder ist ein Augenblick Ruhe.
Das Geräusch eines angeknipsten Nachttischlämpchens, eines ausgeknipsten Nachttischlämpchens.
Das permanente Geräusch der fernen Autobahn, unterbrochen vom Geräusch des laufenden Wassers und des Händewaschens.
Hierhin! Hierhin! ruft eine entfernte Stimme.
Hierhin, flüstert eine ganz nahe Stimme.
Das Geräusch eines Groschens in einem Wandautomaten,

der zu knacken und zu surren beginnt und dann still steht. Ein Seufzer der Enttäuschung.
Sich nähherndes und sich entfernendes Niesen.
Der MGM-Löwe grollt.
Das Geräusch, das ein Hotelgast beim schnellen Löffeln der Suppe macht, geht über in den vielstimmigen Schrei einer plötzlich losstürmenden Polizeikette.
Vögel zwitschern in einem Park.
Der Gast schlägt mit dem Messer ans Glas.
Das Geräusch des Klatschens; offenbar Ohrfeigen, sonst Leder auf Haut; das Geräusch beruhigt sich im Geräusch des Landregens.
Das Atmen von Schläfern.
Wieder beginnen die Milchkannen zu klappern; dazu surrt eine Nähmaschine, rumpelt eine Waschmaschine; zuletzt ist am lautesten die elektrische Kaffeemühle.
Das Geräusch der Pause in einem Verhör wird als solches nicht kenntlich.
Ein Buch wird zugeklappt.
Ein Fenster wird geschlossen.
Das Geräusch mehrerer Duschen.
Das Geräusch eines Laubrechens im Unterholz.
Turbulenz im Unterholz; Tiere oder Menschen, wild raschelnd und knackend, brechen durchs Unterholz.
Jubel im Stadion.
Der gemessene Schritt eines Postens.
Ein ferne brummendes Flugzeug mit Propellermotoren.
Das Geräusch eines hochgezogenen Rolleaus; nach kurzer Pause: eines heruntergezogenen Rolleaus.
Die Geräusche, die eine Person macht, wenn sie wieder ins Bett geht und sich in die Federn rollt.
Das Geräusch innen eines fahrenden Zuges, vermischt mit Foyer-Gemurmel, Gelächter; jemand klatscht so lange in die Hände, bis Ruhe ist.
Ein Stuhl wird umgeworfen.

Ein Feuerzeug knackt.
Das Geräusch einer im Keller anspringenden Heizung.
Nacheinander die Geräusche: eines anspringenden elektrischen Rasenmähers, eines Volkswagens, eines Hanomag-Traktors, einer Feuerwehr-Pumpe, einer Diesellok. Dazwischen Husten, kaum hörbar.
Plötzlich Stille. Das hastige Umblättern einer Zeitung, Samstagausgabe.
Geräusche von einer Baustelle.
Weiteres Umblättern einer Zeitung; Stellenanzeigen; Samstagausgabe. Es wird an eine Türe geklopft, ohne daß das Umblättern aufhört. Sich entfernende Schritte.
Schritte in einem Treppenhaus. Viele Stockwerke. Sich begegnende Schritte.
Gerenne in einem langen Korridor.
Keuchender Atem, der näherkommt, verharrt, sich wieder entfernt.
Das Geräusch des Rennens durch Unterholz, über Kies, auf Steinpflaster, über Holzbohlen, über Eisenplanken. Das Geräusch rutschender Füße, innehaltend, kehrtmachend, in anderer Richtung weiter.
Das Geräusch des Rennens durch Wasser, Pfütze, Bach, Brandung.
Die ruhige Gangart eines Pferdes auf einem Sandweg durch den Wald.
Hammerschläge in einem Steinbruch vermischen sich mit dem Geräusch eines krachenden Brötchens zwischen den Händen, zwischen den Zähnen; das Geräusch eines näher kommenden, haltenden und wieder fahrenden Landrovers.
Man hört den Landrover fahren, mit quietschenden Bremsen halten. Abspringen. Schritte. Die Geräusche redender Männer in einer Espresso-Bar. Das Geräusch der Kaffeemaschine, klirrender Gläser. Eine Stimme fragt halblaut: War Harrimann da? Lautes Zischen der Kaffeemaschine.

Plötzlich absterbende Geräusche. Die Stimme des Regisseurs über Sprechanlage: Nochmal die Szene.
Das Geräusch des fahrenden Landrovers. Quietschende Bremsen.
Stille.
Das summende Geräusch einer Überlandleitung.
Spiel auf der Radio-Skala.
Ein rasselnder Fernschreiber.
Das Geräusch eines schreibenden Stiftes, eines radierenden Radiergummis, einer über das Papier wischenden Hand.
Ein Kater miaut.
Eine Tür wird geöffnet.
Noch eine Tür wird geöffnet.
Eine Schranktür wird geöffnet.
Das Geräusch des Ausziehens von Kleidern.
Eine Stimme über Sprechanlage: Noch eine Minute.
Das Geräusch des Ausschaltens eines Fernsehgerätes.
Das Geräusch des Kopfkratzens erst eines, dann mehrerer, dann vieler Köpfe.
Das Geräusch des Leckens, eines allgemeinen Leckens, das in das Geräusch eines großen Schmatzens übergeht und im Geräusch eines verendenden Röchelns endet.
Eine Knallplättchen-Pistole wird einmal abgeschossen.
Das Geräusch eines Gehenden, der leere Blechdosen vor sich hertritt.
Die Blechdosen rollen eine Steintreppe herunter.
Das Geräusch eines Gehenden, der leere Blechdosen vor sich hertritt auf Kies.
Das Geräusch von rutschendem Kies; ein Gegenstand rutscht ins Wasser und versinkt.
Steinchen werden ins Wasser geworfen.
Das Geräusch eines sich nähernden und entfernenden Motorbootes.
Ein kurzer Schrei.
Weitere Steinchen werden ins Wasser geworfen.

Gurgelndes Geräusch.
Kurz klingt durch Lautsprecher ein Walzer auf, begleitet von dem Geräusch von Schlittschuhen auf einer Eisfläche.
Der Walzer trudelt ab; das Geräusch eines Eisschnellläufers, der immer schneller laufend sich entfernt.
Das Geräusch galoppierender Fernseh-Pferde huscht vorbei.
Das Geräusch klingelnder Schlitten huscht vorbei.
Das Geräusch trommelnder Pfoten und hechelnder Zungen.
Zwischendrin wird hörbar das Geräusch des Einschüttens von Tee, des grabenden Löffels in der Zuckerdose, des Einrieselnlassens des Zuckers in die Tasse, des Umrührens des Löffels in der Tasse.
Das Geräusch des Hechelns kommt näher und näher und entfernt sich langsam übergehend in das Geräusch eines normal schlagenden Herzens.
Die Teetasse wird abgesetzt; leise klirrt der Löffel.
Das Geräusch sich kreuzender Klingen, in das sich das Geräusch eines knisternden Brandes mischt.
Lauter werdende Knistergeräusche verschwinden im Geräusch eines großen Einkrachens.
In der Ferne eine singende Kinderschar.
Der Wind in Blättern eines Obstbaumes; das Geräusch des Fallens von Obst durchs Blattwerk dumpf ins Gras.
Das Geräusch des Schleifens einer Sichel.
Das Geräusch eines umkrachenden Baumes.
Das Geräusch des Herausreißens von Seiten aus einem Buch.
Klatschend werden Bücher auf einen Haufen geworfen. Dann das Geräusch des Ausgießens aus einem Kanister. Ein Streichholz wird angerissen. Das Geräusch einer Stichflamme, das in das Geräusch sich rasch fortsetzender Stichflammen übergeht.
Das Geräusch schwerer Motoren und des Rasselns von

Panzerketten auf Beton. Dieses Geräusch wird langsam unhörbar im Geräusch tieffliegender Maschinen. In dieses Geräusch mischt sich das Konzert für vier Cembali von Vivaldi-Bach.
Während dieses Konzertes hört man viele Schritte in Hallen und Bahnhof-Korridoren, die Stimmen eines großen Empfangs, rauschendes Wasser aus Duschen, weiterhin Flugzeuge, unverständliche Kommandos über Lautsprecher, kurz klirrendes Glas, Stille, das Wählen auf einer Telefon-Drehscheibe.
Nach einem Augenblick Stille längere Zeit das Ruf-Signal in der Leitung. Dann wird der Hörer abgenommen und man hört durch den Hörer weiter die Vivaldi-Bach-Musik und durch offene Fenster dringende Verkehrsgeräusche, in die sich das Klirren der Panzerketten mischt. Dann klingelt neben diesen Geräuschen das Telefon. Stille. Der Hörer wird aufgenommen und man hört durch diesen zweiten Hörer weiterhin Vivaldi-Bach und eine schreiende Menge sowie das Klingeln eines Telefons und das Abheben des Hörers, in dem man kaum noch identifizierbar die Wiederholung der vorhergegangenen Geräusche bis zur völligen, leisen und verstummenden Unkenntlichkeit hört. Stille.
Das Geräusch einer Taste. Das Geräusch des Auflegens einer Schallplatte. Das Geräusch des sich einschaltenden Tonabnehmers, der seine Nadel auf die laufende Platte setzt. Das Geräusch eines Knisterns über Lautsprecher. Das Geräusch einer laufenden Schallplatte, auf der nichts zu hören ist.

Im Frost des Winters ruhen alle Bauvorhaben; nun müssen wir noch länger warten auf den Kanalanschluß.

Seltener und seltener werden meine Spaziergänge; ohne Lust betrachte ich die Wipfel des nahen Waldes; vertrocknet sitze ich auf der Fensterbank über der Heizung; kein Wort werde ich heute sprechen; ein Kraftakt ist es, die Asche der Zigarette loszuwerden; meine Frau ist von meiner Befindlichkeit schon ganz angesteckt und läßt eine Kultur des Staubes entstehen; es ist zuviel Dunkelheit im Zimmer und es ist zuviel Helligkeit draußen; ich weiß nicht mehr, ob der Kater zu meinen Füßen verhungert ist oder schläft; ich weiß nicht mehr, ob ich soeben eingeschlafen und soeben wieder aufgewacht bin; ich kann mich nicht erinnern, was ein Fernsprechapparat ist und warum er dasteht; unbekannt sind mir die Merkmale meines Geschlechts; fremd sind mir die Eigenschaften der Nation; das Reich der Wünsche ist mir abhanden gekommen; den Unterschied zwischen Glück und Unglück treffen die, die es trifft; vergessen habe ich die Spielregeln des Zusammenlebens; meinen Namen stelle ich zur Verfügung; meine Hautfarbe kann jeder haben; was ich noch spüre, ist die nächste, näher kommende Eiszeit; was ich noch tue, ist heute das Tun eines Schattens, denn heute, such' nicht, gibt es mich nicht.

Wann müssen wir denn was nun tun, denn auch die Zeit ist ja ein Plan.

Es ist der Januar, der Monat der neuen Hoffnungen und Projekte, der Monat des grauweißen Lichtes, der Monat der Skepsis, der Monat des Wir-probieren-es-noch-einmal, der Monat des In-diesem-Jahr-wird-es-sich-ja-zeigen, der Monat des ersten Nackenschlags. Wir legen eine neue Tüte für die neuen Ausgabenbelege an. Wir legen einen neuen Terminkalender an. Wir entkalken die Warmwassergeräte

und nebeln mit Zerstäuber die Zimmerpflanzen ein. Das Skelett von Weihnachtsbaum muß endlich auf die nahe Müllkippe. Wir ergänzen den Vorrat an Streusalz. Wir erleben den Winterschlußverkauf. Barbara, Hans und Haiko haben Geburtstag.
Im Februar ist es wieder soweit: wir müssen noch einmal den Brennstoffvorrat überprüfen; es ist die Erfahrung der vergangenen Jahre, daß der Winter länger dauert als erwartet; wir müssen noch einmal den Brennstoffvorrat überprüfen. Der Februar ist der Monat der ersten Schneeglöckchen. Der Februar ist der Monat, in dem endgültig und spätestens die Entscheidung fallen muß, als was wir diesmal Karneval gehen. Der kleine Sascha hat Geburtstag; der kleine Raoul hat Geburtstag. Nachprüfen, ob ein Schaltjahr ist.
Der März ist der Monat, in dem der Bauer einst sein Rößlein eingespannt hat. Wir haben notiert, daß im Keller die Geranien umgepflanzt und zurückgeschnitten werden müssen; dazu neue kräftige Erde in die neuen Töpfe. Der März ist der Monat, in dem die Erde wie im März riecht. Wir können den Reifenwechsel vornehmen und die M+S-Reifen in der Garage aufhängen. Geburtstag hat Rose. Erste Gartenarbeiten. Geburtstag hat Fanny. Bodenfröste. Wir ertragen nicht mehr den Schnee. Unsere Termine sind nur denkbar in dem gesellschaftlichen Bereich, in dem wir leben.
Noch im April entleeren wir nachts und stellen ab die frostgefährdeten Wasserleitungen. In der Kleidung gehen wir über zur Kleidung der Übergangsjahreszeit. Der April ist der Monat, der uns vor den Veränderungen des Frühlings warnt. Die Witterung wird mild; wenn die Witterung mild ist, kommen im ersten leichten Regen die Zimmerpflanzen hinaus ins Freie. Nach dem ersten leichten Regen riechst du das wachsende Grün auf den Birken und Pappeln. Im April läßt die Unbestimmtheit nach. Unge-

wiß ist das Schicksal der Baumblüte. Rango, Wibke und Hannes haben Geburtstag im April.

Mai: der Name des Monats Mai kommt als erster nach den sieben vergangenen Monatsnamen wieder ohne den Buchstaben r aus. Im Mai darfst du dich wieder im Freien auf die Erde setzen. Der Mai ist ein aktiver Monat. Im Mai kommt Bewegung ins Haus. Feucht wischen wir die Fußleisten ab. Wände, Decken und Tapeten reinigen wir. Von oben nach unten waschen wir die Türen ab. Die verstaubten Lampen werden nach dem Rausdrehen der Sicherung gereinigt. Das Abseifen der Kacheln in Küche und Bad. Singend putzen wir die Fenster in der schrecklich grellen Sonne. Nicht vergessen werden wir die Beschläge der Fenster und Türen. Spezialaufsätze für den Staubsauger machen die Reinigung der Polstermöbel mit Staubsauger möglich. Viele Spezialmittel der Waschmittelindustrie sind für Fleckenentfernungen auf den Holzteilen der Möbel geeignet. Weiß werden im Garten wehen die weiß gewaschenen Gardinen. Gerne nehmen wir die Tips der Nachbarinnen entgegen für neue Mittel der Bodenpflege. Unversiegeltes Parkett nicht behandeln mit Wasser. Es macht unsagbaren Spaß, im Freien um die Wette die Teppichklopfer sausen zu lassen. Der Mai ist der Monat der Gedichte. Im Mai mottet man die Winterkleidung ein. Im Mai fängt das Gartenleben an. Im Mai hat Boris und hat Mare Geburtstag.

In der ersten Hitze des Juni steigen wir in den Keller und entrümpeln den Keller. Längst müssen wir die Balkonmöbel streichen. Im Juni riechen wir zum ersten Mal wieder das Heu. Wer im Juni an die Wartung der Heizungsanlage denkt, hat im Winter keinen Ärger mit der Heizungsanlage. Im Juni drehen wir Schmalfilme. Im Juni sitzen wir abends lange auf den Terrassen. Das neue Obst ist da. Der Juni ist kein Monat für ein Dilemma. Im Juni hat der Staub auf den Wiesen seine Frische noch nicht ver-

loren. Der Juni ist ein Höhepunkt. Der Juni ist der Monat der dampfenden Tiefsee. Der Juni ist der Monat des Buschwerks. Else und Nana haben Geburtstag im Juni.
Im Juli sind die Sommerpreise günstig für Heizöl. Der Juli ist ein üppiger Monat. Wir erleben den Sommerschlußverkauf im Juli. Der Terminkalender verspricht den Monat der Ferien. Wir geben die Schlüssel beim Nachbarn ab. Wir hinterlegen für alle Fälle die Urlaubsanschrift in der dunklen Wohnung. Wir wissen, daß es Probleme gibt, die wir nirgendwo notieren können. Wir bitten den Nachbarn, regelmäßig die Wohnung zu lüften, die Blumen zu gießen; in Pflege wird der Vogel gegeben. Alle Hähne sind zu. Die Sicherung ist raus. Der Antrag zur Nachsendung von Post und Zeitung ist unterwegs. Die Überweisungen sind unterwegs. Der Reisepaß ist gültig. Die Reiseversicherung ist abgeschlossen. Die grüne Versicherungskarte findet sich im Handschuhfach. Cocteau, Kafka und Proust haben Geburtstag.
Mächtig ist der August, groß, ausdauernd, langsam und schwer; manchmal brüllt er, manchmal schweigt er; der August lastet, staubt, drückt und schwelt. Der August ist der Monat der riesigen Felder und dominierenden Frauen; summende, schillernde Fliegen bedecken das Land. Das dürstende Land im August. Im August verlangen die matten Zimmerpflanzen flüssige Volldüngergaben. Große Sommeroffensiven. Niederbrennende Wälder im August. Die Heide glüht. Die dampfenden Flüsse des Teers im August. Der August ist der Monat der kalten Küche. Im August haben Alma, Gertraude und Ringa Geburtstag. Geringste Anzeigenquote im August.
Im September sitzen wir zum letzten Mal auf den abends kühlen Terrassen. Wir haben einen Blick auf die Heizungsanlagen und den Ölstand notiert. Wir prüfen die Dichtigkeit der Fenster und Türen. Wir topfen um. Wir lagern ein. Wir stocken auf. Der September ist der Monat der er-

sten Melancholie. Silberfäden ziehen ums Haus. Dünn wird die Luft, heiser, durchsichtig, rauchig. Der September ist der Monat des September-Songs. Spätes Heu im September, späte Erkenntnisse, späte Äpfel, See-Muscheln von der holländischen Küste. Der September ist der Monat der kritischen Menschen. Der Krieg ist ausgebrochen im September. Einsichten im September gehen über die Grenzen des Monats hinaus. Der September ist der Anfang der Resignation. Haben wir alle Dichtungen kontrolliert, ist der Öltank dicht? Robert und Gunnar haben Geburtstag im September.
Wir erinnern uns an die Revolution. Es ist der Oktober. Der Oktober ist blau. Wir gehen im Nebel. Wir machen den Wagen winterfest; wir prüfen den Frostschutz; wir kontrollieren die Winterreifen, die Nebellampen. Wir gehen seltsam im Nebel. Der Oktober hat die Form einer Pflaume. Der Oktober ist russisch. Der Abschied im Oktober ist braun. Frostgefährdete Wasserleitungen entleeren wir und stellen wir ab. Die Gartengeräte werden gesichert. Der Gartenschlauch kommt in sein Haus. Die Knollen der Dahlie wandern in ihr Bett. Der Oktober ist der Monat der Mutmaßungen über Jakob. Der Monatskalender schlägt vor, die Räumgeräte für den Schnee, den Sand, das Salz bereitzustellen. Oktober bleibt Oktober. Die Winterkleidung kommt zu ihrem Recht. Rosen im Oktober. Rebellen. Abende im Theater. Herbstmesse im Oktober; anschwellendes Geschäft. Der Bär kommt auf den Winter zu sprechen. Schnellbauweise macht Bauen im Oktober möglich. Herbstalleen. Herbstalleen. Erichs Geburtstag.
Wir erinnern uns an die niedergeschlagene Revolution. Es ist der November. Wir denken an die Weihnachtseinkäufe; wir gehen mit unseren Ideen durch die alte Stadt und suchen uns Schaufenster aus. Wir schnitzeln und trocknen das gelbe Obst. Es ist der Monat der langen schweigenden Ritte über das dämmernde Land. Viele sitzen am Novem-

ber-Gedicht. Jetzt stellt sich heraus, wie das Dach, wie die Wände auf das feuchte Wetter reagieren. Wir lesen lange Romane. Wir eröffnen die neue Karnevals-Saison. Wir sehen nicht mehr das Haus des Nachbarn. Der November ist müde. Das Wetter regiert uns. Viele schlafen. Wir husten. Alles Elend. Überall ist Altersheim. Unten ist vollständig das Laub im November. Im November warten wir auf den Dezember. Der November ist der Monat des nassen, gemütlichen, selig machenden, unbefreiten, elften, komplizierten, schwermütigen, dunkler und dunkler werdenden November. Viele gefährliche Frauen haben Geburtstag im November.

Es ist der Dezember; es ist nicht der Frühling, es ist nicht der endgültige Abschied, es ist nicht der Reigen unvorhergesehener Gespenster, es ist nicht der römische Petersplatz, es ist nicht der transsibirische Expreß, es ist nicht allein der nah herangerückte Frost, es ist auch nicht ausschließlich sein unsteter, empfindsamer Bruder: der Schnee, es ist nicht immer der vergangene Krieg; es ist der Dezember. Wir singen. Wir lüften laufend den Keller, damit das Obst nicht fault. Wir singen. Wir prüfen nach, ob der Reisepaß im nächsten Jahr nicht ungültig wird. Wir singen. Es ist der Dezember. Das Land des Märchens wird unaufhaltsam wirklich. Die Geschichte demonstriert ihre traditionsreiche Zukunft. Wir sind Magier. Wir sind Bettler. Wir sind staunende Zeugen. Wir sind unterdrückte Völker. Wir sind frei herumlaufende Diebe. Wir sind gottlose Zwerge. Trotzdem ist es weiterhin der Dezember. Klaus und Phillip haben Geburtstag im Dezember. Der richtige Christus hat Geburtstag im Dezember. Es ist der richtige Dezember, und er ist beweisbar, du spürst ihn, du hörst ihn, du entgehst ihm nicht, du wirst dich an ihn erinnern; es ist der richtige Dezember. Der aus dem Wald kommende. Der vom Gebirg herabsteigende. Der uns erlösende. Der einzige Dezember im Jahr; es gibt nur den einen, den letzten

Monat im Jahr, im Jahrzehnt, im Jahrhundert, in diesem terminreichen, schonungslosen Kalender.

Das Leben zu zweit ist in seiner Idealität eine Fiktion, die so wirklich ist wie das Gesetz, das eine Ehe zu dritt oder viert verbietet.

Ralph in seinem gelben VW-Cabriolet rast übers Land. Toleranz ist gut, aber wenn nur einer tolerant ist, erzeugt sie am Ende wieder die reine Wut, auf der einen Seite, wo die Toleranz ist. Karin denkt anders, aber sie weiß nicht genau, wie sie denkt, jedenfalls verhält sie sich anders. Ralph ist manchmal entschlossen; Karin ist nie entschlossen; es kommt wie alles kommt: unerwartet, überwältigend, quasi nebenher, bedeutungslos. Karin fährt nur arglos, wenn sie leicht einen sitzen hat. Karin ist arglos, solange sich Ralph Gedanken macht, und Ralph macht sich Gedanken, am Steuer, am Strand, in der Menge, vor jeder Trinkerei, zum Frühstück. Karin ist fassungslos, wenn Ralph mit seiner Toleranz kommt. Karin hat mehr Angst als Ralph, der mit seinem gelben Cabriolet übers Land rast. Toleranz ist ein Mittel, das hilft, Eifersucht zu verdrängen, wenn es schon nicht gelingt, Eifersucht abzuschaffen. Man wird Institutionen abschaffen, Gewohnheiten, Regeln, Verträge; geht das auch mit Gefühlen, die für die Entstehung des Abgeschafften ja mitverantworlich sind? Jede Person hat mehr Möglichkeiten in sich, als zu verwirklichen ihr gestattet ist. Diese Verfügung läßt sich unterwandern, und Ralph macht keine Ausnahme, und Karin macht keine Ausnahme. Indem jeder für sich keine Ausnahme macht, setzt jeder entweder darauf, daß der andere nichts davon mitkriegt, oder daß der andere still hält, wenn er etwas davon mitkriegt. Im letzteren Fall ließen sich die Verhältnisse innerhalb ihrer Illegalität gewissermaßen legalisieren. Praktische Toleranz, sagt Ralph, aber Karin sagt das nicht, auch wenn sie dazu Anlaß hat. Karin kann sehr wütend reagieren, und Ralph kann sehr wütend reagieren, aber nicht, weil er wie Karin keine Toleranz aufbringt, sondern weil Karin eben nicht die Toleranz aufbringt, die Ralph aufbringt, wenn Karin ihm dazu die Gelegenheit bietet. Du bist, sagt Karin, die selten spricht, nur tolerant, weil Du gleichgültig bist. Geworden bist. Es ist richtig: früher, Ralph hat früher nicht sich so gezeigt, tolerant. Ralph hätte früher sie nicht verlangt, Toleranz. Ralph sagt in einem seiner langen, gereizten Monologe: ich hasse Eifersüchtiges, Besitzbeanspruchendes, Schmerzendes, Zweierlei-Maß-Anlegendes; ich werde es ausrotten; ich habe es angefangen auszurotten, in mir. Karin ist anpassungsfähig, aber sie paßt sich nicht an. Karin zieht den Kopf ein, wenn sie schnell gefahren wird. Die schmalen Straßen im Grünland zwischen den alten Vororten sind die alten Feldwege noch. Karin hat sich wieder engagiert und Ralph in seinem gelben VW-Cabriolet rast übers Land. Karin haut die Türen zu. Karin hat Gläser zerschmissen, als sie geglaubt hat, daß Ralph sich wieder engagiert hat. Wenn etwas plötzlich kommt, muß es doch quasi erwartet kommen, das heißt, das Plötzlich-Kommende muß in Gedanken vorweggenommen sein. Mit Rainer und Hilde stimmt etwas nicht. Ralph macht laut das Autoradio an. Toleranz ist ein Mittel, sich selber auszuhalten, und das ist das Problem, sagt Ralph, sich selber auszuhalten. Rainer tritt nun immer solo auf. Hilde ist wohin. Karin sagt: wenn ich engagiert bin, bin ich tolerant. Rainer gibt Ralph recht; Karin wird wütend; Karin zerschmeißt ein Glas. Jetzt ist Karin wütend, sagt Ralph. Karin hat leicht einen sitzen und fährt im VW in der Nacht übers Land.

Leerstehende Häuser, sagt der Innenminister, erkennen die Beamten daran, daß kein Rauch aus dem Schornstein aufsteigt, kein Licht brennt, oder daß es ihnen ein Nachbar erzählt.

Fortwährendes Abgelenktsein hemmt den Fortschritt der Erkenntnis, ebenso wie das Zurückdenken an die alternden Erzählbarkeiten wenig Einsichten in die notwendigen Umweltveränderungen produziert. Wenn ich mir eine Straße wünsche, in der ich herumflanierend Ausschau halte nach leeren, großen Wohnungen mit Parkettböden und Stuckwerk an den Decken, dann wünsche ich mir eine Art von Kaiserzeit, in der die Wohnstruktur noch deutlich spiegelte die Gegensätze zwischen den Klassen. Sind Wünsche nicht isolierbar? Wenn Wünsche nicht isolierbar sind, dann erzeugt *ein* Wunsch einen Wunsch*zusammenhang*, der auf Nicht-Gewünschtes keine Rücksicht nimmt. Zwänge. Polizisten brechen in ein leeres Haus ein. Sie vermuten drinnen einen Einbrecher. Warum? Es ist Licht in dem leeren Haus gemeldet worden. Wenn Licht in einem leeren Haus ist, ist drinnen ein Einbrecher. Polizisten sehen durchs Fenster Füße sich entfernen und das Licht ausgehen, und weil auf Rufen niemand aufmacht, brechen Polizisten ein. Ein Polizist wird niedergeschossen. Der Niederschießende wird selber niedergeschossen. Der niederschießende Niedergeschossene bewohnt als Bewacher das leere Haus seit drei Jahren und hat niedergeschossen in der Vermutung, daß die einbrechenden Polizisten Einbrecher sind. Etwas Neues können wir in unseren Gegenden also nicht erleben, weil offenbar jede, selbst jede unvermittelte Situation in das System unserer automatischen Reaktionsweisen paßt. Ein leeres Haus sollte ein leeres Haus bleiben. Es gibt einen Hausbesitzer in der alten Innenstadt, der sein altes, handtuchschmales, neugemachtes Haus leer stehen läßt. Engagierterweise muß man ganz klar sagen, daß dieses leere Haus ein asoziales Haus ist. Ein blindes Haus vor dem Skandal der Existenz von Obdachlosen und Asylen. Ein privates Haus, dessen Privatheit eine Herausforderung des Gewissens der Völker ist. Einzelfälle belegen oft nur sich, den Einzelfall, selbst, werden aber als Belege zitiert, wenn Aufklärung will, daß es die ganze allgemeine Scheiße aufeinmal ist, die es möglich macht, daß Einzelfälle passieren. Die Okkupanten verließen wieder die beschlagnahmten Häuser. Beklommen gingen wir durch die Etagen. Wir kletterten über die Trümmer der Möbel und duckten uns unter den zersplitterten Türrahmen her. Die Okkupanten hatten sich in den WC-Becken die Stiefel gewaschen und die Badewannen als WC-Becken benutzt, bis sie randvoll waren und teilweise überliefen. Richtig ausgebessert wurden die Schäden nie, und der Haß ist geblieben. Bewohnte Häuser können in kürzester Zeit geräumte Häuser sein, und dann können lange Zeit Wachen davor stehen und jeden hindern, in einem der geräumten Häuser nach einigen Privatheiten zu suchen.

Jetzt ist die Landschaft ein Katalog voller Wörter.

Die Winterlandschaft. Die von Machtkämpfen gezeichnete Zeitungslandschaft. Die finnische Waldlandschaft. Die gelbe Industrielandschaft. Die politische Landschaft. In der wirren Bewußtseinslandschaft. Die übersichtliche Bürolandschaft. Die vergessene Trümmerlandschaft. Im Dschungel der Gettolandschaft. Die vorläufige Baubudenlandschaft. Die Konsumlandschaft. In der Landschaft des Geistes. Wasserlandschaft. Eine Landschaft voller Beine und Busen. Die einsamen Gipfel der literarischen Landschaft. Die Landschaften des Zweifels. Die Landschaft der Bundesliga. In der neuen Bedarfslandschaft. In der historischen Landschaft der holländischen Landschaftsmalerei. Innere Landschaft. Ideale Landschaft. Die abstrakte Begriffslandschaft. Die englische Parklandschaft. Die deutsche Möbellandschaft. Die von Krisen bestimmte Theaterlandschaft. Die gesellschaftliche Landschaft. Seelandschaft mit Pocahontas. Glasdächerlandschaft in Holland. Die Wolkenlandschaft. Die erregbare Landschaft deiner Haut. Die sanierte Landschaft. Die von Blut getränkte Trichterlandschaft. Die zusammengeschmolzene Verlagslandschaft. Die durchgeforstete Gesetzeslandschaft. Die unentdeckte Energielandschaft. Ferienlandschaft. Flußlandschaft. Surrealistische Landschaft. In der weitverzweigten Sparkassenlandschaft. Diese Landschaft nach Plan. Die gerettete Landschaft. Die zukünftige Stadtlandschaft. Die emanzipierte Landschaft. Objektlandschaft. Reformlandschaft. In der verwüsteten Wohnzimmerlandschaft. In einer künstlichen Filmlandschaft. Die rote Wüstenlandschaft. Die Schneelandschaft.

Eine Landschaft mit echten Bestandteilen.

Hochblickend von der Papierfläche und ich sehe daß es plötzlich von Westen her schneit, wie wild, wie wild, wo, auf die Einrichtungen des Raumes, auf der Bühne des Landes, und im dichten Sturm verschwindet die internationale Baumgruppe vor dem Fenster, in der Fläche einer Aussicht auf künstliche gemachte Gegenstände, die mit der Zeit ein natürliches Aussehen gewonnen haben, unverändert, alternd. Und ich werde einen Schwarm Dingwörter loslassen, ehe das weißgraue Land in die neue Anonymität eingegangen ist; seht, wo Anonymes droht, bedarf das eigentliche Leben des Beistandes schwieriger und ausgefallener Wörter, seht, wo Anonymes droht; ruhige, kleine, bewegliche Figuren sehen es nicht. Versuch einer Identifizierung: das Feld werde ich *Feld* nennen; der Bahndamm wird *Bahndamm* heißen; die Überlandleitung erhält den Namen *Überlandleitung*; ich schaue das Zweifamilienhaus an und sage *Zweifamilienhaus*; das Bauerwartungsland bezeichnen wir als *Bauerwartungsland*; auf die Kanalbauarbeiten paßt das Wort *Kanalbauarbeiten*; das plötzliche Auftreten des Försters kennzeichne ich mit den Wörtern *Der Förster* und einem Rufzeichen dahinter; die Garageneinfahrt ist nichts anderes als die *Garageneinfahrt*; der Vogel der fliegt, der Vogel, der da sitzt: es ist der *Vogel;* hinter jeder Schneeflocke renne ich her und rufe auf sie zeigend *Schneeflocke,* das Wort, ihren Namen, der sie von Schneewittchen, Schußwaffen, Regenschauern und Schloßbewohnern unterscheidet. Nun können wir die Bestandteile des Landes tilgen. Oder wir vergessen sie, ja, wir vergessen; wir verzichten auf den Umgang mit dem, was eine Säge ist, ein Pferd, ein Vorderlader, ein Segelschiff, ein Baum, ein Lodenmantel, ein Grenzstein. Aber die Abwesenheit der Dinge (und welche Dinge sind nicht durchweg außer Reichweite, vergessen, weit entfernt oder ziemlich unbekannt) bestimmt keinen Verlust an Wörtern, und so hantieren wir mit den Wörtern weiterhin, als wären sie die Dinge selber, holen neue Wörter dazu, verbinden sie untereinander, gliedern und ordnen, verschmelzen und verderben sie, jenachdem, im Sinne einer Vergegenwärtigung dessen, was außerhalb der Wörter zwar existiert, ohne sie aber unkenntlich, namenlos und wie nicht vorhanden bleibt. Die Rede geht von sehr simplen Dingen und nahen, handlichen Wörtern. Land vor unseren Fenstern. Der Vorgang, den ich beschreibe, findet im Moment des Schreibens statt, aber so rasch geht das gar nicht; einige Zeilen weiter ist in Wahn drüben die Boeing schon gelandet, deren augenblickliches Vorkommen im Ausschnitt des Fensters ich zu notieren augenblicklich mich beeile;

hochguckend sehe ich das Ding schon hinter meiner georgischen Birke verschwunden und was nun? was sage ich jetzt? beschreibe ich nun den leeren weißgrauen Schneehimmel zusammen mit der Nichtpraktizierbarkeit eines Prinzips, das den Moment als Momentvorgang des Schreibens verifiziert sehen will? Ein solches Prinzip wäre keines, das im verwalteten Apparat der Sprache funktionabel wäre, und, damit nicht wieder ein Strick draus wird, wir verfechten es auch nicht, wir empfehlen es auch nicht (trotzdem, verehrte Leserin, verehrter Leser, versuch mal, versuchen Sie mal schnelles Aufschreiben dessen, was gerade im Moment in der Nähe greifbar, sichtbar und hörbar ist: in jedem Fall werden dabei Wörter und damit Gegenstände und Vorgänge gegenwärtig, die ohne eine besondere Intensität der Sinne meistens nicht wahrgenommen werden; wir sind alle ziemlich unempfindlich geworden). Und nun wäre eine dichte Bilderfolge vorstellbar, die viel eher den Fortgang der Ereignisse erfaßte, als es einer Wörterfolge möglich ist? Keine Frage. Der Unterschied ist das Medium. Welches Medium verfügbar ist, ist entscheidend für die Vermittlung des Gegenstandes, sein Wiedererkennen, seine Erklärung, seine Verwischung, seine Veränderung. Der fallende Schnee als Bilder-Ereignis ist das Bilder-Ereignis des fallenden Schnees. Kleine Figuren bewegen sich schwarz in der Landschaft. An Stelle des Wortes Landschaft ein Bild der Landschaft hier einzufügen wäre lediglich ein Austauschverfahren, das von den Notwendigkeiten und Möglichkeiten einer intermedialen Grammatik noch nichts demonstrierte. Kleine Figuren bewegen sich schwarz und langsam in der Landschaft. Machen wir einen Film draus. Raben flattern. Wörter-Impulse und Bilder-Impulse gehen beide von der selben Landschaft aus, die in Wörtern und Bildern sich auf eine Weise verändert, daß ihre Bestandteile nur noch als ästhetische Elemente wiederzuerkennen sind.

Wir machten das Licht an und erschraken, als wir im Licht die Veränderungen sahen.

Licht produziert Stimmung, Licht aus Lampen; Lampen hängen und stehen. Lampen summen; im Badezimmer summt die Neonröhre über dem Spiegel und es ist abstoßend, es ist häßlich, es ist schrecklich: nach der durchgestandenen Nacht, das Gesicht, morgens, im weißen, grausamen, summenden Licht der Neonröhre. Verwüstet. Lampen sollten das Gesicht im Schatten lassen: so ist es in der Dämmerung, in der Nacht; in der idealen Höhe hängt die Eßzimmerlampe über dem Eßtisch: ungefiltert nahezu tritt nach unten aus das Licht, das in Augenhöhe gedämpfte, abgeschirmte, vom Schirm abgeschirmte Licht. Man will im Licht betrachten können, was man ißt. Man will, daß auf den Tisch, auf den gedeckten Tisch das Licht fällt. Wein will funkeln. Gläser wollen blinken. Aufblitzen will Besteck. Das Spiegelei im Licht ist angenehmer als das Steak im Dunkeln. Der Attentäter steht im Dunklen, der Außenseiter, der wartet, bis die Dunkelheit vollkommen ist. Die Toreinfahrt ist dunkel und der Hausflur ist dunkel, und wer kennt nicht die alte Furcht. Da trifft den Attentäter der Kegel der Stablampe voll ins Gesicht. Und der Kegel des Scheinwerfers trifft das verirrte einzelne feindliche Flugzeug. Und der Kegel des Scheinwerfers trifft den Hastenden am Zaun. Und in der Ecke des Kellers richtet sich im Kegel der Stablampe die Ratte auf. Wenn wir abends einen Raum betreten, ist es immer die Beleuchtung, die als erstes vermittelt, was man die eigentümliche Atmosphäre des Raumes nennt. Der Raum lädt ein und nimmt dich gefangen. Du fühlst dich gleich wie zu Hause. Oder du fühlst dich wie in der Fremde. Der Raum ist kalt und weist ab. Die Beleuchtung entlarvt: den Geiz, die Unempfindlichkeit, das kalte Herz. Richtig beleuchtet ist der

Raum, wenn die Sitzgruppe indirekt beleuchtet ist. Falsch beleuchtet ist der Raum, wenn dem Sitzenden in der Sitzgruppe die Beleuchtung ins Auge sticht. Die Verhörenden bleiben im Dunkel, und damit das Verhör seinen Zweck erfüllt, nämlich den Verhörten zum Reden zu bringen, bleibt der Verhörte den Lampenstrahlen solange ausgesetzt, bis er redet, pfeift und singt. Wandstrahler haben nicht die Wand, sondern die an der Wand aufgehängten Bilder anzustrahlen. Und nun das Licht aus, rasch, denn hinter den Vorhängen sind unsere Schatten zu sehen. Und obschon es völlig dunkel war, bemerkte er in ihren Augen den feuchten Glanz. Daß Partner sich auseinandergelebt haben, merken es Partner nicht auch dann, wenn sie nicht mehr gleichzeitig einschlafen wie einst? Da will der eine lesen, da will der andere schlafen; da darf der eine nicht lesen, da kann der andere nicht schlafen. Und will nun seinerseits das Licht, zum Lesen das Licht. Da hilft nun eine Mini-Lampe, solcher Art, wie wir sie hatten als Kinder heimlich unter der Decke die halbe spannende Nacht lang. Oder wir schauen uns einmal die ausgeklügelte Konstruktion des italienischen Designers Joe Colombo an, Klasse, schwenkbarer Wandarm, auf den Punkt genau. Lampen schaukeln im Wind. Lampen zittern unter heftigen Schritten. Lampen fallen vom Tisch. Lampen sausen haarscharf am Kopf vorbei. So wird das Zimmer gemütlich. Die Welt ist hell. Das Glas ist das klassische Material. Und die Sitzgruppe in milden Wüsten-Farben unter einem milden Mond auf hohem silbernen Chrom-Stab. Ja. Auf Chromstab. Lampen sind unbestechlich. Lampen machen es möglich, daß wir sitzen, Funkelndes sehen, den Gegner erkennen, Kleingedrucktes lesen, aufspüren, Verlorenes finden, Gefundenes zeigen, Schönheit bewundern, Aufgestelltes betrachten, im Auge behalten, fixieren, mit Blicken durchbohren, wiedererkennen, verfolgen, beobachten, entdecken.

Hans hier und Hans dort.

Folgende historische Geschichte handelt vom Hans, vom vielbeschäftigten Hans, der auf dem Iddelsfelder Rittersitze diente und von dessen nimmermüdem Eifer und Fleiße die ganze Umgegend viel erzählte. Denn Hans, der unverdrossene Hans tat sein Leben lang für karge Kost, geringe Kleider und schlechtes Geld alles, wofür sich vom ganzen Gesinde keiner je verdingen mochte, nämlich die schlechteste, niedrigste Arbeit. Überall, auf Wiese und Feld, bei nassem Regen und hartem Wind und scharfem Sonnenstrahl, in den Ställen beim Vieh, in Haus und Hof und Garten, er schaffte überall ohne Ruhe und Rast. Und wenn es dann endlich soweit war, daß die Nacht den langen Tag beendete, und wenn der Geringste noch vom Gesinde die wohlverdiente Ruhe fand, da war es unser Hans, der nimmermüde Hans, der als Bote stundenweit geschickt ward, hinaus in die Nacht, durch Wald, übers Feld, und regnete es Schüsseln und Kesseln vom Himmel. So sein Leben lang. Bis unser armer alter Hans krank ward, bis die Beine ihn nicht mehr tragen mochten und er krank auf den Tod darniederlag auf seiner Schütte aus Stroh. Die letzten Tröstungen der Religion spendete ihm der Pfarrer von Merheim, und um dem alten Hans das Abscheiden von der Welt zu erleichtern, erzählte er ihm von dem Paradies, das ihn bald erwarte. Hier, so sprach der Pfarrer, haben wir ja nur die Arbeit und die Plage, aber dort, im Himmel, da bist du glücklich, da bist du selig, da gibt es keine Arbeit mehr, da singst du mit den Heiligen und Engeln, da lobst du und preist du den Herrn. Doch unser Hans, in seiner letzten Stunde, dachte an sein Leben, und er mochte an solche Verheißung nicht glauben. Mag sein, sprach Hans, im Himmel mag es schön sein, doch ich, wenn ich, der Hans, da hin nun komme, will glücklich sein und selig, dann geht's aufs Neue los, dann wird gerufen, Hans hier, Hans dort, he, Hans, komm her, faß an und steh nicht rum, lauf, zünde den Mond an, 's ist höchste Zeit, sing nicht, gaff nicht, los, die Sterne sind ohne Öl, schütt neues drauf, und hurtig, he, die Sonne hurtig angestocht, und nicht zu heiß, und putz den blauen Himmel blank, und denk an den Regen, he, pump neuen Regen in die Wolken, Hans, die Bauern schreien nach Regen, lauf Hans, spring Hans, Hans hier, Hans da, Hans rasch, Hans hopp, Hans macht das, das macht alles Hans, im Himmel, weiter, der Hans, der Hans kommt nicht zur Ruhe, hier nicht, im Himmel nicht, der Hans bleibt Hans. So sprach der Hans in seiner letzten Stunde und streckte sich und lag für immer still.

Ein gelbes Schlauchboot im Halteverbot.

In die Altstadt will ich hineinfahren mit meiner schockfarbenen Limousine, aber ich gelange nicht hinein, in die Altstadt, denn die Altstadt steht unter Wasser, da haben wir den Notstand, Flucht vor dem Wasser, in Gummistiefeln stehen Wirte im hüfthohen braunen Wasser des romantischen Rheins hinter ihren Tresen und servieren ruhig die letzten Biere, der schlimme Frost ist gebrochen und mit dem Tauwetter kommt die höhere Gewalt, eine fahle Sonne läßt blitzen die nassen Baumspitzen zwischen den raschelnden Wellen, die höhere Gewalt koordiniert als Hochwasserschutzzentrale die Dienststellen der Stadtentwässerung, des Straßenbauamtes, der Verkehrslenkung, der Unterbringung der plötzlich Obdachlosen, samt Polizei, Feuerwehr und Verkehrsunternehmen, Kähne legen an den Bahnsteigen des Omnibusbahnhofes an und Kameramänner springen aus den Kähnen und in die Kähne, Kameramänner in Kähnen filmen Kameramänner in Kähnen, Rudel von Schulklassen werden von ihren Fräuleins an die höhere Gewalt als Aufsatzthema herangeführt, das Aufsatzthema verlangt erschöpfendere Auskunft als die Aneinanderreihung faktischer Sätze sie leistet, die Schutzmauer verschwindet bei einem Pegelstand von 8,87 m ebenso unter Wasser wie das zu schützende Ufergebiet, Erinnerungen an einst heran- und fortgeschwemmte Schweine, der ausgeübte Zwang wird ausgeübt zum Schutz des Lebens der in die höheren Stockwerke geflüchteten Wohnungsinsassen, der Luftauftrieb verwandelt Öltanks in Bomben, die Katastrophenstimmung der Betroffenen mischt sich mit der Karnevalsstimmung der Zuschauenden zu einem für die von Katastrophen heimgesuchten und in den vaterstädtischen Festtagen von der vaterstädtischen Feststimmung regierten Stadt eigentümlichen Stimmungsdurcheinander, immer sind es plözliche Eingriffe, die die Fragwürdigkeit des Vertrauten demonstrieren, plötzlich reden wildfremde Leute miteinander, in aller Geschwindigkeit werden vor den Kellerfenstern Mäuerchen hochgemauert, aber weil der Mörtel nicht so rasch hart wird wie die Flut steigt, schwinden die Mäuerchen ebenso geschwind wieder dahin, Möwen sitzen auf den weißen, blauen und roten Inseln der Autodächer, den neuen Generationen stehen die entscheidenden Heimsuchungen noch bevor, wird der Schock ist die Frage wenigstens eine Wirkung haben, die in der kommenden Geschichte die Wiederholung alter Fehler vermeiden läßt, Unglück als Motiv für Amateurfilmer, von einem bestimmten Punkt aus ließen sich die Ereignisse übersehen und zusammenfassend darstellen, aber einen bestimmten Punkt gibt es nicht, das Wort freundlich steht im Zusammenhang mit dem Wort Notunterkunft zu lesen, der Strom erinnert uns mitunter daran, daß er einst das ganze Umland beherrscht hat, wie der Schwarm der Ratten taucht das Wort Schicksal auf, erwünscht sind Naturereignisse immer wenn sie ablenken von Zuständen, für die es Verantwortliche gibt, mit meinen nassen Füßen kann ich beweisen, daß ich dabei gewesen bin, mit meinem daheim gelassenen kleinen Auto kann ich beweisen, daß ich die Brücken nicht verstopft habe, wir gehen enttäuscht nach Hause, weil nicht mehr passiert ist, Kaltluft stößt nach, Überleben bedeutet nicht unbedingt, daß man der Glücklichere gewesen ist, Panik ist ausgeblieben, das Wasser steht, sagen die, die es wissen müssen, aber das Wasser steht nicht.

Im Sommer wieder auf den Uferwiesen.

Ein kurzes Jahr wird das. Es ist kein Film, sondern wirklich, das schnelle Leben. In ein altes Uferbild möchte ich hineinwandern; der Nachen treibt an Büschen und Bäumen vorbei aus der Bucht vorbei am Fischerdorf und hinten über dem Wasser blinken Türme der Hansestadt. Die Autobahnbrücke wächst grün; die grüne Autobahnbrücke liegt im Wasser; da ist die grüne Autobahnbrücke wieder, und jetzt ist Nacht. Rote Positionslichter glühen oben auf den grünen Pylonen. Ruwekirche. Rodenkirichhof. Rodenkyrichon. Rodenkirche. Die Daten der Entstehung des alten Fischerdorfes sind unbestimmt; der Name kommt zum ersten Mal in einer Urkunde aus dem Jahre 989 vor, aber es ist ein Irrtum, die Gründung des Ortes mit dem Bau der Kapelle zu Ehren des heiligen Maternus (4. Jahrhundert? 11. Jahrhundert?) zu identifizieren. Wenn man anfängt, sich mit seinem Todestermin zu beschäftigen, geht man noch einmal die Liste der Möglichkeiten, der Versäumnisse, der Begrenzungen, der Erwartungen, der Fragmente, der Abschlüsse, der Hoffnungen durch. Der älteste Kirchenbau jedenfalls ist in dieser Umgebung die genannte Kapelle. Das Interesse an einem bestimmten Ort ist bestimmt vom Interesse an einem Stück Autobiographie; was heißt jetzt Autobiographie: es sind Momente der widersprüchlichen Erfahrung. Nach einer durchgesoffenen Nacht sitze ich an einem frühen Morgen auf einem Kilometerstein am Strand und warte auf die aufgehende Sonne. Es kommt, unterwegs zum fernen Hauptbahnhof, ein rothaariger Bursche, der mit mir schlafen will, aber ich will nicht schlafen mit dem rothaarigen Burschen. Und die Flußwiesen glänzen auf in der aufgehenden Sonne. Das waren die Zeiten, in denen wir aus den Zelten schlüpften und hinüberschwammen ans andere Ufer; das waren die Zeiten, vor durchgesoffenen Nächten die Zeiten, südlich, flußaufwärts. Die Stromkilometervermessung des Rheins beginnt in Konstanz; wir befinden uns in der Nähe des Stromkilometers 682, linksrheinisch. Erste Ortserfahrungen: die Studentin Gina Richter bewohnt ein binsenfarbenes Zimmer, in dessen Fenster man die rotglühenden Positionslichter der nahen Autobahnbrücke rot glühen sieht; der strenge Essayist Albrecht Fabri sitzt mit einem Monokel im Auge an einem ovalen, streng aufgeräumten Tisch; der Graphiker Hannes Jähn setzt ein typographisches Plakatgedicht; der Drucker Liebig druckt die graue Geburtsanzeige Boris Becker, Felder, 28. In lauter Sorge hat mich das letzte Hochwasser gestürzt; vor Augen die Fotos vom Jahrhundert-Hochwasser 1926, als in der Wilhelmstraße über Leitern nur die oberen Stockwerke zu ersteigen waren und in der Hauptstraße der Fußweg einzig über zusammengeschobene Leiterwagen ging, sehe ich die hier einwohnenden Rundfunkenden der nahen Rundfunkanstalten, statt rundzufunken, in Baumwipfeln und hinter Aquarien-Fenstern, auf Autodächern und Bungalowdächern sitzen, zitternd, winkend, schnatternd, winkend nach Amphibien-Fahrzeugen, die da hängen bleiben in den Wasserhecken der Uferallee und dümpeln dann umsonst davon: was hört dann und sieht nun Nordrhein-Westfalen ohne ein kulturelles Bild und Wort, und was fängt, ohne ihren Frühschoppen, ohne Nabelschau, die heimgesuchte Nation, allein, mit sich, gelassen, an? Befangen im personalen Denken drehe ich stundenlang im trockenen Rechtsrheinischen die Wählscheibe mit den Nummern des totbleibenden Anschlußbereiches, während aus allen elektronischen Gehäusen des Hauses die Dokumente des Wasserstandes und wahrlich, als stünde keine Sündflut vor der Tür, auch für anspruchsvolle Mindestheiten weiterhin die intaktesten Programme kommen, bis selbst, jaah also, zur gewohnten Sonntagsstunde rund, sonor und jovial, in Schachtelsätzen, entschärfend, vermittelnd, mit Moselwein, am Bumerang-Tisch und dramaturgisch unterbrechend, kollegial mit Kommunisten, mit kalten Kriegern sanft, und zürnend für die Freiheit, nüchtern wie Eric Sevareid und lustig wie Johnny Carson, so meint Newsweek, ja wie, wat is denn nun, wie wollt ihr's denn, Mr. Pollyanna seine, unsre Sonntagsschule beginnt. So. Und das Telefon tut es wieder und wir können Hänschen fragen, wie's denn geht mit seinem Bruchfuß und den ausgehauenen Zähnen. Denkwürdig bleibt auch jene Bildernacht, in welcher Kollege Koch nach gelungen extemporierter Live-Lesung vermittelnd einen beschickerten ersten Von-Haus-zu-Haus-Rutsch veranlaßte husch über die schweigende Autobahn im arztweißen Sportmodell unseres Bensberger Sportarztes husch unter den rotglühenden Positionslichtern auf den grünen Pylonen her in die Kurve hinab ins Fischerdorf, dessen einstige Fischerei-Existenz wie jene vor allem des gegenüberliegenden Uferdorfes Poll endgültig beendet ward durch Brückenbau, Dampfschifferei und Dieselöl, Stunk, Schmutz und Chemie-Gift, Abwässer, Mist alles im guten Wasser des väterlichen Stromes, in dem wir tummelten und tauchten, ranschwammen an Schlepper und rauf uns stemmten, der Kniff mit dem

Schwung im richtigen Wellen-Moment, sonst riß dich der Wellengang weg von der Bordwand mit blutigen Fingern, auf Schlepper, rauf, flußaufwärts, eine ruhige Weile, in den Jahren davor, vor Gift und Mist, in den Jahrhunderten danach, nach der Legendenzeit: es ist nun die römische Colonie-Stadt der Sitz eines ersten Bischofs, nämlich des heiligen Maternus, der zugleich da innehat die Bistümer im Norden von Tongern und im Süden von Trier, weshalb, als seine Seele aus irdisch-rheinischem Dunst und Tiefdruck entschwunden, drei Städte sich streiten, um ihn, seinen Leichnam, und wo ins Grab er gehört. Höhere Fügung entscheide den Streit. So liegt unser geistlicher Herr in einem Kahn, und wohin die Strömung ihn nun treibt, nach Norden, nach Süden, ans Ufer zurück, dort finde er seine Ruhe. Nun weiß jeder Schwimmer, Paddler und Schiffer, was eine Bewegung flußaufwärts kostet an Kraft, ohne die es von allein nur abwärts geht; indes, oh Wunder, Höhere Fügung will, daß unser bischöflicher Leichenkahn dümpelt so langsam den Fluß *hinauf*, nicht weit, jedoch, erkennbar wohin, so bis in die Höhe des Flußkilometers 682, Trier jubelt, Trier hat gewonnen, und zum Erinnern steht heute noch, am Ufer, bedroht vom hohen Wasser, kriegsbeschädigt und einst von jeder Schiffsglocke begrüßt, unser Maternus-Kapellchen da. In dessen Schatten wir sitzen; Sommer, heiß, im Biergarten vom *Treppchen*, viel Volk, Lina stemmt Arme voll Krüge heran, rot glüht der Kopf des Fürsten, der Sonntagnachmittag lockt hin zur Kölner Riviera, große Ruder-Duelle, singende Dampfer, wir wollen raus aus dieser autogrammesammelnden Volkstümlichkeit und Hitze und rein ins kühle Stübchen zum Bier, wo einst die rauhen Pferdeknechte hockten mit wüsten Manieren und soffen zum Frühstück einen Liter Wein, bis Mittag waren's vier, denn es war zu Zeiten der Treidelschifferei bei dieser historischen Kneipe die Pferdestation, an der die Pferde ausgewechselt wurden vor den Treidelschiffen, die den Wasserverkehr des Handels zwischen den anliegenden Binnenhäfen bestritten vor Aufkommen der Dampfschifferei; mehr und mehr verschwindet unter den Campingplätzen der alte Leinpfad. Und Wind bringt Klirren in den stillen Pappelwald. Nun existiert ein Polizeifoto. Nun betrachten wir ein Polizeifoto. Einige Personen umstehen ein amerikanisches Fordmodell, das rückwärts über die Ufermauer gekippt ist und mit seiner oliv-farbenen Mustang-Schnauze in die graue Frühe eines grauen frühen Morgens ragt. Oh Nanny, was wird sagen Johnny, was? Und die Polizei sagt: Sagen Sie mal, was sagen Sie denn da zu dieser Situation? Also, ja, plötzlich war Undine weg. Ein Alarm löst einen Mechanismus der Reaktionen aus. Unruhiger und unruhiger ließ ich meine Blicke gehen zu den Türen, zu den Fenstern, über die Tische, über die Gesichter meiner besten Freunde, in Gedanken hinaus in die Nacht, durch die leeren Straßen, entlang am Ufer des Stromes, überall hin, überall her. Und ich schlug Alarm urplötzlich. Und alle meine besten Freundinnen wären alarmiert. Ein kurzes Jahr wird das. Dann stürzten wir Alarmierten hinaus ins Freie. Die schöne blondhaarige Undine war wieder weg, und die große fröhliche Runde hatte unentwegt die drohenden Anzeichen nicht wahrgenommen. Dann rannte ich am schwarzen Wasser in der schwarzen Nacht hin und her. Elfriede rannte hin und her. Erena rannte hin und her. Uschi fuhr hin und her. Nanny fuhr in Sackgassen und kippte rückwärts über die Ufermauer sanft in die Nähe des fließenden Wassers. Elfriede schrie auf. Erena schrie auf. Nanny ging nach Hause. Uschi tröstete. Undine fuhr mit Tine in der Taxe. Zum Frühstück versammelten wir uns um einen Tisch voller Rührei und blickten durch die großen Aquarium-Fenster hinaus auf den Strom. Allerlei Untaten kommen häufig in der Gegend vor, denn es ist das reinste Gesindel, welches da Unterschlupf gefunden hat in den Pesthäusern über dem Leinpfad, und wo die schlimmen Seuchen nun gebannt sind, deren Opfer von der gesunden Welt abzusondern die Siedlung errichtet worden ist, droht nun Totschlag, Überfall und Wegelagerei, weshalb da Säuberung notwendig geworden ist, Abbruch und Beruhigung der Leute. Der Fürst rief häufig in der Nacht. Alles, sagte Sandmännchen-Dieter, können Sie von mir verlangen, nur nicht, daß noch Ihre Gäste alle werfe ich hinaus. Ruhig glühten die unbeweglichen Positionslampen im spritzenden Feuerwerk über dem heimgesuchten Strom, und ich torkelte im Schnee an den Strom. Schnelles Leben. Als ich Richard Burton war. Als Jack den Flipperautomaten fast erschlug. Als Marc den Tisch leer putzte. Als Mia kontra gab. Als Tine kein Starlet sein wollte. Als Undine wieder auf und davon war. Jeder Satz ist Bestandteil einer Geschichte, die ihrerseits Bestandteil von Geschichten ist, was man wissen soll, um zu verstehen, daß die Isoliertheit eines Satzes immer nur eine scheinbare ist. Warum nicht den ganzen Zusammenhang? Weil der ganze Zusammenhang nie aufhört und das Nennen eines Namens sogleich die ganze Lebens-Umgebung samt Berufskontakten, Gesellschaft, Orts-Umständen, Polizei-Berichten, Party-Nächten, historischen Bilderbogen und allen sogenannten zwischenmenschlichen Beziehungen produziert. Oder anders: ein Satz ist das Medium, in dem ein ganzer Haufen Lebenserfahrung zusammenkommt. Der Ritter von Rottkirchen ritt im dritten Kreuzzug des Kaisers Barbarossa mit gegen den Sultan Saladin. Hans vernichtete mich im Tischtennis in Ullas Tischtenniskeller und ich mußte mich trösten gehen in Uschis Kellerbar, woraus wieder eine Nacht wurde innerhalb eines zeitlichen Zusammenhangs, in welchen Manny Bissingers Bonner Hof-Tour fällt, weiter die Assemblage der Miller-Chairs in der Glaskanzel des reichen Rechtsanwalts, die Zerstörung einer Kommode, eine magical mystery tour, der Swingsang der Clark-Sisters und die Vergegenwärtigung alter Capitol-Schallplattenhüllen anläßlich eines Schuppens mit Namen Tropicana, die Arie des Fürsten vom Tango, um den ich als den nächsten bitten darf, Undines weitere Alleingänge, weiter was noch: also Kollege Koch ist voll von Apfelsaft besoffen; nämlich Marc und Candy sind vollkommen dafür, Haiko und Barbara stürmisch aus den Betten zu läuten, so lange, bis Haiko und Barbara singend auf den nassen Straßen stehen; nun, denn alle Hähne sind auch zugedreht bei Heintz und mit der grünen Maßstrich-Flasche kommt Nana unter dem zierlichen Tisch hervor; aber weil wir im Sylvester-Schnee den nächsten neuen Morgen nicht haben finden können; denn wir liegen alle schachmatt auf den Wiesen des grünen Strandes und sehen die Sonne hochkommen in der Gewißheit, daß die Herren der Erde uns nicht einmal in Ruhe lassen, wenn wir sie in Ruhe lassen; weiter was dann? Ein Fischerdorf hat seine Geschichte offiziell, weshalb sie vorkommen kann, stolz auf sich selbst, in der Liste der Herren-Legenden, der Würden und Privilegien, der nationalen Schlachterein, jedoch, was ist mit den kleinen Bauern und mittleren Dieben, wie war das Wetter, in welchen Job schulten sich die Pferdeknechte um, die Fischer, wieviel verdiente Lehrer Breuer, was dachten die Wirte, wie ging die Ehe des strammen Pferdebahnschaffners aus, wer hat den Pappelwald gepflanzt, was redeten wir beim Flicken der Netze? Gleichgültig ist der Chronist, der auf Privates stößt, blind vor den kleinen Geschichten, die schnelles Leben vergißt. Angeschickert kurven wir davon in der Dämmerung, und rot glühen noch Positionslampen oben auf den grünen Pylonen. Da steht die neue Skyline am Strand; da ist das alte Uferbild mit den treibenden Nachen an Büschen und Bäumen vorbei; da wälzt der Vater Fluß sich in sein Bett zurück. Es schläft der Fürst. Uschi turnt. Hänschen humpelt. Haiko kocht Tee. Elfriede schippt Wasser. Nanny flitzt. Barbara hört Tonband. Candy macht Wasserfotos. Nichts mehr kann ich sehen schwankend und wirr, weil lauter Farbfernseher stehen vor der Bucht, vor dem Siebengebirge, vor der Autobahnbrücke, vor den Wäldern aus Pappelholz, vor den gegenüberliegenden Ufern, vor den Wiesen, vor den Wassern, vor den Kähnen, vor den Kirchen, vor den Dächern mit den winkenden Gestrandeten da oben drauf; nun sind die Scheiben schwarz. Und wir kurven weiter; und der Nachen, in dem ich sitze, bewegt sich nicht in dem Bild mit den treibenden Nachen in der Bucht mit Aussicht auf die Stadt, in der wir weiter leben.

Schwebendes in der Luft; graue Klötze; Projektionen meiner Vorstellung; Bedingtes; Körper im Wasser; Bewegungsmöglichkeiten oder neue Einschränkungen; fließende Mitteilung; Luftzufuhr; Kälte und Ersticken; Freiheit und Angst; beleuchtet; schallschluckend und mit Geräuschen versehen; Vorschläge für Unabhängigkeit; kollektives Erlebnis; Größenwahn; Leere; Versteck; angesprochen sind alle Sinne; offen; offen nicht im Sinne von jedermann zugänglich; veränderbar mit wenigen Manipulationen; unabhängig von Temperaturwechsel; Lichteffekte erzeugt durch Körperbewegung; berieselt; ich spüre eine Beklemmung; der Druck im Kopf läßt nach; mitten in der Tradition; weiter als das vorhandene Denken; Ruhe; unsichtbar; Anpassung als Moment der Vorausplanung; die Benutzung wirkt auf den Benutzenden zurück; Farbregelung im Hinblick auf die Regulierbarkeit der Stimmung; der Standort wird vom Interesse der Inhaber des Standortes bestimmt; so wie es früher nie war; schnell beweglich; schnell zu verlassen; Schutz; künstlich; die Besitzenden werden die jeweils Anwesenden sein; neue Natur; alte Widersprüche; ambivalent; machbar oder vorgefunden; eine Möglichkeit im Meer; ein Weg zu den Sternen.

Räume.

Das funktionierende System funktioniert nicht immer, aber es ist im Fortschritt, und es läßt sich im Fortschritt nicht hindern, das funktionierende System macht keine Ausnahme und läßt sich nicht hindern.

In der Sonne nachmittags geht O. spazieren, aber er geht nicht lange spazieren: Personen treten auf ihn zu, Personen umringen ihn; abgeführt wird O. In ein Gebäude wird er gefahren, in eine Zelle wird er geführt; in der Zelle findet O. andere O.s, die auf dem Boden der Zelle sitzen und anfangen, O. zu beschuldigen, zu beschimpfen, zu verhören, zu beschuldigen. O. weiß nicht, warum er in der Sonne nachmittags abgeführt worden und in die Zelle gekommen ist; O. wird ausgelacht, geneckt, das hätten die anderen O.s auch nicht gewußt, O. soll mal nachdenken, O. denkt nach. O. soll mal nachdenken, O. denkt nach. Stehen muß O. einige Stunden zwischen einigen Tischen um ihn herum mit fragenden Personen hinter den Tischen; schnell wird gefragt hinter den Tischen, direkt, indirekt, im Konjunktiv, im Präsens, im Perfekt, quasi unterstellend, quasi voraussetzend; O. muß sich einige Stunden schnell hin und her drehen, es wird ihm schwindlig, O. wird weggetragen; O. wird in der Zelle ausgelacht; alle O.s lachen, weil O. nichts weiß, nichts begreift, nichts weiß, nichts begreift. O. verlangt Auskunft, warum. O steht eine Nacht lang aufrecht in einer Röhre und kann nicht umfallen. O. wird am nächsten Tag gefragt, mit welchen Gedanken er die Buchstaben aus der Zeitung ausgeschnitten hat. O. sagt, daß er keine Gedanken gehabt hat. Dann gebe er aber doch zu, daß er die Buchstaben aus der Zeitung ausgeschnitten hat. O. sagt, daß er niemals Buchstaben aus der Zeitung ausgeschnitten hat. Aber er habe doch bekannt, daß er Buchstaben aus der Zeitung ausgeschnitten hat. O. sagt, daß das eine Unterstellung sei. O. erhält eine Berührung und fällt hin. O. steht wieder auf und sagt, daß. O. wird angefaßt und geht sofort in die Knie. Es ist kalt in der Zelle. Es ist heiß in der Zelle. O. liegt auf dem Bauch in der Zelle und auf seinen Hinterkopf tropft stundenlang ein Tropfen nach dem anderen. O. weiß nicht, wie er den Hunger aushalten soll und nagt am Strick. Der Tisch wird gedeckt: Fleisch, Kartoffeln, Gemüse; O. zerrt an den Stricken umsonst; es dampft vor seinen Augen auf dem Tisch. Er soll ja nur bekennen. O. sagt, er habe zum soundsovielten Male nichts zu bekennen. Weggetragen wird der dampfende Tisch; O. fragt sich, ob Bekennen etwas nützt, obschon er nichts zu bekennen hat. Alle O.s sagen Sprüche im Chor auf und essen und sagen andere Sprüche im Chor auf. Es wird gespritzt; O. sitzt im Wasser. O. wird am Einschlafen gehindert. Was ist richtig, fragt sich O., was ist nicht richtig, ich weiß es nicht, ich bin voller Zweifel. O. sitzt in der Nacht einer freundlichen Person gegenüber und beginnt plötzlich zu bekennen. Die freundliche Person stellt freundlich Erleichterungen in Aussicht, will aber Einzelheiten wissen, Daten, detaillierte Daten. O. weiß keine detaillierten Daten und die freundliche Person wird unfreundlich. Detaillierte Daten. O. sucht seine Erinnerung nach detaillierten Daten ab und beginnt detaillierte Daten zu erfinden. Die detaillierten Daten sind widersprüchlich; O. korrigiert und sitzt ohne Strick am Tisch und ißt. Und schläft. O. steht zwischen einigen Tischen mit Personen dahinter. O. hat bekannt und soll beurteilen. Beurteilen was? Seinen Standpunkt, den falschen, sowie den Standpunkt, von dem aus sein Bekenntnis seinen falschen Standpunkt als falschen Standpunkt begreift. O. beginnt zu stottern und wird in die Zelle zurückgetragen, in der alle anderen O.s Sprüche vorlesen und so interpretieren, daß sich das Gegenteil aufhebt. O. wird geschult und begreift den Standpunkt. O. definiert den Standpunkt und beurteilt das Bekenntnis von der Definition des Standpunktes aus. Dann kann sich O. hinsetzen. O. sitzt im Sessel einer freundlichen Person gegenüber, die ihr Bedauern ausspricht, daß O. nicht früher in den Genuß der Erleichterungen habe kommen können. O. sagt noch einmal, ohne gefragt zu sein, daß es ein Verbrechen gewesen ist, das zu denken, was er gedacht hat, als er die Buchstaben aus der Zeitung ausgeschnitten hat. Die freundliche Person sagt, daß es darauf ankommt, durch Schulung des neuen Denkens die Einsicht in das Verbrecherische des alten Denkens zu beweisen. O. meint, daß zwar auf Grund eines Irrtums oder einer Verwechslung, aber O. erhält eine Berührung und liegt eine Nacht im Wasser. O. zweifelt nicht mehr und beurteilt pausenlos. Der Irrtum ist mein Irrtum, sagt O. und alle O.s gratulieren O. und reihen O. in den Chor ein. O. rezitiert Sprüche im Chor und diskutiert, bis sich das Gegenteil aufhebt. O. vernichtet sich im Prozeß anhand einer Liste seiner Bekenntnisse und Beurteilungen. O. will kein mildes Urteil. O. will lange Schulungszeit. O. sitzt mit den anderen O.s in der Zelle und paßt auf, daß alle O.s diskutieren, bis sich das Gegenteil aufhebt. O. dirigiert Sprüche im Chor. In die Zelle stolpert ein neuer O. und fällt hin. O. bückt sich lächelnd und fängt an.

Bilder sehen und sprechen dich an.

Da ist er wieder, Karl-Heinz Köpcke. Diese grüne, reizende, schimmernde Bucht hat es mir angetan, und ich würde nicht zögern dorthin zu buchen, wenn nicht so lockten jene Schlösser der Loire, jene schottischen Schlösser, jene rheinischen Schlösser, all jene Berge, Berge. Aber ich werde noch zurande kommen, wie ich zurande gekommen bin mit der Halbinsel Dänemark, mit der Olympiade in Amsterdam, mit dem Orakel von Delphi, mit der Meister-Elf von Rapid Wien, mit dem Fliegenden Robert, mit dem Roten Kampfflieger, mit dem Mann, der Liberty Valance erschoß. Nun betrachten wir uns einmal näher den mutmaßlichen Mörder der Sharon Tate. Es ist im Zwielicht von Beverly Hills. Und wir nehmen die verwegenen Gassen von Neapel nicht aus, Soho nicht, Sankt Pauli nicht, das Wirtshaus nicht im Spessart. Wie ein Tiger geht durch den Schankraum die goldene Mae West. Die Serie der Retrospektiven reißt in dem Maß nicht ab, wie der Apparat die Wünsche wachsen läßt, zu wissen, wie es gewesen ist. So lebt die Frau meiner Träume weiter. Und in meinem Inneren reihe ich diese Stage-Coach-Landschaft in die Reihe der klassischen Landschaften ein. Ringo Starr lungert am Flußufer herum. Schwankend im Diesigen nähert sich die Hochzeitsgesellschaft auf der Bergisch-Gladbacher Straße. Berühmter Fallrückzieher von Heinz Schlömer. Unzweifelbar indessen geht die visuelle Information dahin, daß wir alle mitmachen die weiteren Schritte der Menschheit, ebenso daß wir weiter mitmachen das neue Entlauben der neuen Dschungel-Distrikte samt allen Mexico-Runden und Forschungen am Seelöwen-Strand, denn jeder weitere Abend ist uns weiter eine Schau, sieh hin, wie Andy in die Küche tritt. Und jeden Abend liege ich auf der Lauer nach Tina's ansagender Erscheinung. Mein Zimmer, das ich niemals mehr verlasse, säumt an den grünen Rand der Idealen Landschaft. Hinter meinem Rücken glüht die Spitze des Empire State Building auf im Ruß und Dunst. Dies ist Stockholm neben der Insel Sylt, auf welcher wir im Westerländer Bahnhof tragfähig greifen nach dem nächsten Koffer, welcher Koffer gar nicht der Koffer des mutmaßlichen Koffer-Besitzers ist, weshalb eine Klatsch-Depesche flugs entsteht von den Wirrnissen im Wenningstedter Ferienhaus mit schönen Feriengrüßen an die Redaktion; sieh hin, wo einst Samoa war. Diese grüne, reizende, schimmernde Bucht hat es mir immer noch angetan, indessen führt uns unser Trip weiter in das Postkartengebiet der altmodischen Städte. Anklam, Wernigerode, Wellington, Murmansk. Drum ist es ja auch gar nicht mehr nötig, aus dem eingegrenzten Leben herauszutreten, wo alles Irdische sich reproduziert und alles Reproduzierte so nächstens wie bestens, vertraut und wirklich gerät. So denkst du nicht, Kamera-Mann? Das Privat-Wiedersehen auf beiden Kanälen mit einem Bahnhof, einem Bahnhofsvorplatz und dem einstigen Hotel Kossenhaschen in der historischen Augenblicklichkeit deutsch-deutschen Händeschüttelns. Dieses Zimmer hängt voller bleich-gewordener Erinnerung, und wenn du sehr verzweifelt auf der Suche nach der verlorenen Kindheit auf ein gerettetes Album stößt, ist für mögliches Beschreiben alles wieder ersichtlich da: da sitzt an einem heißen Sommertag der junge arbeitslose kurzhaarige Vater mit der jungen schwangeren kurzhaarigen Mutter auf einem vorstädtischen Balkon; da hat sich im Laufstall Jupp Höntgesberg hingehockt neben unseren dumm röhrenden Bengel; der Gemüsemann ist mit seinem Fuhrwerk auf dem Sandweg vor dem Haus stehengeblieben und das Pferd hat bestiegen ein wild entschlossener Reitersmann; im grünen Laubschatten sitzt auf den roten Gartenmöbeln kaffeetrinkend die sommerlich gekleidete Nachbarschaft; es beginnt die Epoche der stumm und grau uniformierten Onkels; mit seinem Zwergdackel auf dem Schoß hockt der Pimpf in der Sonne auf dem Mäuerchen; nun ist der wachsende Sohn bald groß wie die bald nicht mehr lebendige Mutter im Gärtchen unter den Ästen vor den Trümmern. Alle Korrespondenten stehen mit einer Zeitung in der Hand auf den Straßen der europäischen Hauptstädte ur sprechen in Kameras hinein Kommentare vor dem Hintergrund des fließenden Verkehrs. Ins Archiv sind gewandert Biafra-Streifen. Der Abschied von den Wintermeldungen. Thilo Koch wartet selber auf Schalke und bittet um eine Minute noch. Siehst du etwas, was du noch niemals gesehen hast? Mach die Augen zu und es hört nicht auf, dieses Rieseln und Flimmern; schlaf ein und der Film läuft springend an.

Wolken über uns.

Aber wenn du sagst, daß die neue Jahreszeit schön wird, wird sie schön werden, und ich werde aufhören, die Wetterkarte zu zitieren, die faule Luft zu erwähnen und die Dummheit der Empfindungen zu beweisen. Frisch riecht der Bach, der schwarze; gut. Frisch knacken Scheren in den Gärten, denn nun geht es weiter. Und spürbar wird etwas auf der Haut, unter der Haut, nein, nicht von den Schlägen; kein Druck, kein Gedränge. Du siehst: ich schlafe nicht, ich erfinde nicht neue Zweifel, ich verweise nicht auf das ringsherum Umgebende in seiner Antinatürlichkeit; soll ich singen? Schwer fällt es, nicht zu singen zwischen blinkenden Fenstern, silbern sausenden Vögeln, winkenden Nachbarn, im Jubel der Versöhnungen. Immer lauter klirren die Bäche. Wiesen dehnen sich aus und atmen Tag und Nacht. Du sagst, wie es ist, und ich habe aufgehört, dich zu widerlegen; ich bin fast vollkommen stumm.

Wenn die jungen Macher kommen, junger Pauly, bist du dabei?

Das Problem ist auf dem Tisch. Sieh es dir an, junger Pauly, und sieh zu, daß es vom Tisch kommt. Es ist deine Chance, das Problem auf dem Tisch. Junger Pauly sieht seine Chance und identifiziert sich. Kein leichter Job. Bewertung der Aussichten: Daumen nach oben. Ich stehe zwar auf fliegendem Start, sagt junger Pauly, aber wenn fliegender Start nicht drin ist, wechsle ich eben das Pferd. Junger Pauly weiß schon wie. Einzelkämpfer ist passé, und den Ball muß man spielen, solange man den Ball besitzt. Detailfragen, junger Pauly geht ins Detail; an der Basis arbeiten verlangt Detailarbeiten. Das Problem ist ein ganzes Paket von Problemen. Junger Pauly sieht, daß es drauf ankommt, sich zu identifizieren. Du willst hoch, junger Pauly, aber wenn du hoch willst, mußt du unten anfangen, wie jeder, der jetzt oben ist, unten angefangen hat. Funktionsorientierte Kurse. Job Rotation zwischen Stab und Linie. Von über 200 Marken ist der größte Teil als Marktleader vorn. Junger Pauly hat diese Chance im Auge. Du mußt aber wissen, junger Pauly, daß Ausland nicht sofort Amerika und Frankreich nicht unbedingt die Metropole an der Seine ist. Training on the job. Junger Pauly riecht den Markt, aber er hat richtig kalkuliert, wenn er sagt, daß er den Markt nicht allein riecht. Du bist nicht allein, junger Pauly, es gibt mehr junge Kräfte, die ihre Chance sehen und nicht nur sehen. Product Management. Operations Research. Marketing. Informationsstrategie. Du kannst wählen, junger Pauly, aber du mußt dich entscheiden. Ein gewisses Maß an Frustration ist nicht zu umgehen, aber es ist investierbar, und wie jede Investition ist auch diese ein Vertrag mit der Zukunft. Deine Zukunft, junger Pauly. Junger Pauly weiß schon wie und weiß, daß die Produktion von Ideen nicht allein entscheidend ist. Jede Produktion hängt ab vom System der Verteilung, und dieses System ist nicht von allein da, sondern hängt ab von Faktoren, die meistens so unbestimmt sin daß sie der Erforschung bedürfen, der Programmierung, der Steuerung. Junger Pauly wechselt täglich mindestens zweimal die Hemden. Sind Sie nicht, fragt er Sekretärin Birgit, abends ein anderer Mensch als morgens? Und: ist es nicht notwendig, daß Reaktionsweisen abzustimmen sind mit den Zielen, die zu erreichen nicht nur aktives Verhalten, sondern auch passives Abwarten je nach Lage der Dinge verlangen? Junger Pauly frühstückt gern im Bett. Ist fähig, gleichzeitig Nachrichten zu hören und Zeitungen zu überfliegen. Junger Pauly kontrolliert sich, hat gelernt, sich zu kontrollieren, wann Einwand, wann halber Einwand, wann volle Zustimmung, vorpreschen oder kommen lassen, im Zweifelsfall nicht überholen. Angeborene Qualitäten so intensivieren, daß sie selbständig funktionieren. Damit Spielraum gewinnen für den raschen Ausbau von Fähigkeiten, die je nach Position erwartet werden. Ebenso Routine: Routine als Methode, freien Spielraum zu gewinnen für Denkarbeit, Einfälle, Improvisation. Nie mit dem Kopf unter Wasser, junger Pauly, und die Blöße des Gegners im eigenen Verhalten erkennen. Junger Pauly ist für die Liste der neuen Kräfte gebucht. Alle wissen das, Buchende und Gebuchter, aber keiner redet groß davon, junger Pauly am wenigsten, und wenn, dann nur in Gesellschaft seines anderen Ichs. Junger Pauly sagt zu seinem anderen Ich: wir kommen, und wir kommen zwangsläufig, und darum kein Risiko, kein Sprung aus dem Stand. Du weißt, junger Pauly, aber junger Pauly weiß wirklich und hört nur zu, weil er noch unten ist, quasi unten. Und das Problem ist noch nicht vom Tisch. Trotzdem, Bewertung der Aussichten: Beide Daumen nach oben. Du mußt aber einverstanden sein, junger Pauly, denn weder wird dir etwas abverlangt, womit du nicht einverstanden bist, noch wärest du imstande, ohne dein Einverständnis das zu leisten, was von dir erwartet wird. Junger Pauly sieht nicht unbedingt ein Dilemma. Man ist ja, sagt er Sekretärin Birgit unterwegs, nur dabei, wenn man immer schon dabei gewesen ist. Und: man kann ja nur auf Außenseiter setzen, wenn man weiß, daß sich der Außenseiter selber in jener Rolle sieht, die man von ihm erwartet. Das heißt: wenn der Außenseiter so naiv ist, daß er sich nicht als Außenseiter darstellt, kann er wieder nach Hause gehen. Ich bin nicht Außenseiter, fährt junger Pauly fort, aber ich wüßte, welche Chance ich als Außenseiter hätte. Die würden mich ja aufbauen als Außenseiter. Die würden mich ja bezahlen als Außenseiter und feuern, wenn ich es billiger täte, na. Junger Pauly liebt Farben und umgibt sich mit Farben, mit ausgewählten Farben. Junger Pauly probiert mit seinem anderen Ich Dialoge, kurze Ping-Pong-Dialoge, nachdenkliche, zögernde Dialoge, knurrende Zustimmung am Telefon, überzeugende Verkaufsdialoge, knappe Informationsdialoge; Pauly sagt seinem anderen Ich: wenn ich nicht in beide Dialog-Partner-Rollen einsteigen kann, werde ich glatt überfahren und haut er nicht hin wie er soll, der Dialog. Birgit denkt, daß der Weg einer neuen Kraft auch ihren Weg bestimmen kann. Junger Pauly denkt an eine personale Basis und schafft Voraussetzungen, indem er einbezieht, zum Mitdenken auffordert, delegiert, Verantwortung überläßt, fragt, Unsicherheit vortäuscht. Die personale Basis wäre Hausmacht, aber Hausmacht ist antiquiert und bedenke, junger Pauly, personale Basis ist abhängig von der Auswechselbarkeit des Personals. Junger Pauly probiert Menschenführung. Die Kraft der Autorität hat von der Sache her zu kommen, klar. Mehr Vorausschau haben. Den Trend erkennen, frühzeitig, und nicht erst anhängen, wenn der Trend schon gelaufen ist. Gut, junger Pauly, aber prospektives Handeln kommt ohne die Macht der Erfahrung nicht aus. Wer ist im Besitz dieser Macht? Du nicht, junger Pauly, noch nicht, für die Zeit nicht, in der du lediglich im Besitz einer Chance bist. Du kommst nich vorbei, junger Pauly, an diesem Potential. Partizipiere, aber denke nicht, daß du jeden Abend als Beschenkter nach Hause gehst. Der Daumen kann auch zeigen nach unten. Rechne mit Umständen und Bedingungen, die außerhalb deiner Fähigkeiten, deiner Entschlußmöglichkeiten, deiner Reichweite liegen. Junger Pauly sagt seinem anderen Ich: wenn wir fallen, müssen wir so fallen, daß jeder sagt, junger Pauly ist ausgestiegen, junger Pauly wechselt das Pferd. Format hängt nicht von einer Marke ab. Ambition läßt sich nicht binden an ein einziges Objekt. Junger Pauly studiert Probleme, Chancen, den Markt, Objekte, den Trend. Junger Pauly verkauft sein gebrauchtes Modell der vergangenen Saison gegen ein gebrauchtes Modell der laufenden Saison. Junger Pauly bindet sich nicht und rückt den Gedanken an Familiäres an den Rand seiner Interessen. Sekretärin Birgit wechselt das Pferd. Du handelst nicht falsch, junger Pauly, aber deine Handlungen seien frei von der Gewißheit, daß sie jederzeit opportun sind. Gib acht, wohin und woher der Wind weht, du verstehst, der schnelle wechselnde Wind. Junger Pauly lächelt und weiß Bescheid. Junger Pauly identifiziert sich mit dem Problem so lange, bis es vom Tisch ist. Der Daumen zeigt nach oben. Junger Pauly kommt. Junger Pauly ist verlangt, in jedem Fall, wenn dieser Mann nicht, dann jener: also, junger Pauly kommt.

Schon werden die Nachbarn aktiv.

Es ist eine Säge, nein, es ist nicht eine Säge, dann ist es eine motorisierte Heckenschere, und ich sause aus dem Haus, um Streusalz einzuholen, denn ich habe es verschlafen, wie der Schnee vertrieben, der Frost verbannt, der Winter usgewiesen worden ist: also Dünger, also Torf; es klirren die Spaten und knallen die Hacken, es springen die Fenster und gläsernen Türen auf und es sirren die Staubsauger und surren die Waschautomaten in vielen aufstrebenden Siedlungsräumen; nun ist es doch eine Säge, nein, es ist eine Truppe sägender Pioniere im Wald nebenan; es tauchen Dachdecker auf den Dächern auf; es klettern Anstreicher aus den Fenstern heraus; es rumoren die Klempner in den Kellern; es brechen Maurer Türöffnungen in die Mauern und es messen Schreiner Türöffnungen für Türfassungen und Türen aus; nun muß ich meine Fahrräder, Rasenmäher, Liegestühle, Faltboote und Ferienhäuser zusammensuchen, denn überaus aktivierend ist dieser allgemeine Frühlingselan; es wird zugegriffen und angepackt, es wird umgeordnet und zugepflanzt, es wird angelegt und aufgestockt; da kommt der Kanal, da kommt der Garagenanbau, da kommt die Dachgestaltung, da kommt die Fassadenveränderung, da kommt das Zubringer-Anschlußstück; wieder beginnt eine Saison der Erneuerungen, weiter so, kurzes Jahr.

Wie man einst gelernt hat einen Aufsatz über Stadt und Land.

Stadt und Großstadt sind erst im Laufe der Jahrhunderte entstanden. Daß die Leute auf dem Lande in kleinen Mengen zusammenlebten, hat es schon immer gegeben. Dadurch, daß Handel, Gewerbe und Industrie so große Fortschritte gemacht haben, wurden die Leute gezwungen, mehr zusammen zu wohnen, da nicht mehr soviel Platz für jeden einzelnen blieb. Die Stadt hat ihr Gutes und ihr Schlechtes. Man kann sagen und denken, was man will, die Stadt hat ihren Segen für die Menschheit mitgebracht. All unsere großen Erfindungen, Kunst und Wissenschaft, alles stammt aus der Stadt. Wie viele Kunstgegenstände werden von der Stadt aufbewahrt, damit das jetzige und kommende Geschlecht die Kunst ihrer Vorfahren bewundern kann. Wie viele Schulen, Universitäten findet man in der Stadt, damit die Wissenschaft verbreitet werden kann. Künstler und Gelehrte arbeiten vereint und streben alle danach, soviel zu schaffen, als nur möglich ist. Durch das Zusammenarbeiten wird die Arbeit und die Freude an der Arbeit gefördert. Jeder spannt seine Kräfte aufs äußerste an, um andere zu überflügeln und so wird viel geleistet. Mancher, und ich glaube, die meisten strengen ihre Kräfte nur zu ihrem Vorteile an. Mancher Fabrikherr ist darauf bedacht, seine Fabrik zu vergrößern, um noch mehr Geld einheimsen zu können. Aber durch das Vergrößern seiner Fabrik gebraucht er auch wieder Fabrikarbeiter, und somit wird vielen Fabrikarbeitern wieder Gelegenheit gegeben, sich ihr Brot verdienen zu können. Wenn es keine Stadt gäbe, wo all dies geschaffen wird, wo sollte es denn geschafft werden; denn ein einzelner kann mit seiner geringen Kraft wenig ausrichten, und nur wenn viele, viele ihre Kräfte vereint anstrengen, kann etwas geleistet werden. Ein Segen für die Allgemeinheit sind die Kranken- und Waisenhäuser. Was würde aus manchem armen Kinde, dessen Eltern tot oder schlecht sind, werden? So werden sie gut erzogen und später in eine Lehre getan, damit sie etwas Tüchtiges werden. Es ist bloß ein Fehler, daß die Kinder so ganz ohne Liebe aufwachsen. Aber soviel Segen die Stadt für einen einzigen gebracht hat, soviel Schaden kann sie ihm auch bringen, wenn er nicht fest ist. Er ist von tausend Gefahren umgeben, und es müßte das Ziel eines jeden sein, diesen Gefahren zu trotzen. Hauptsächlich junge Leute sind in der Stadt von vielen Gefahren umgeben. In der Stadt sind viele Vergnügungsorte, und der junge Mensch ist geneigt, alles mit zu machen. Er fliegt von einem Vergnügen in das andere und wird oberflächlich. Die Vergnügen lassen ihm keine Zeit mehr zum Selbstbesinnen, und er erwacht erst im jähen Schrecken, wenn er ein heruntergekommener und verkommener Mensch geworden ist. Er macht sich Vorwürfe und verwünscht sich und die ganze Welt. Wie oberflächlich die Menschen einer Stadt sind oder scheinen, zeigt uns ein Spaziergang. Mir ist dieses Gewoge und Gedränge und die lachende, schwatzende Menge zum Ekel. Es ist bloß ein Gewoge und Gedränge. Keiner kennt einen anderen, keiner hat etwas für einen anderen übrig und keiner bekümmert sich um einen anderen. Sogar in einem Hause, wo so und so viele zusammen wohnen, kennt keiner den anderen. Man kennt sich kaum vom Sehen, wie viel weniger näher, und es kann zu keiner näheren Bekanntschaft kommen. Wenn man bedenkt, wer alles in einer solchen Mietskaserne wohnt. Schuster, Schneider, Kaufmann und Beamter wohnen oft zusammen. Wo nirgends, als wie in der Stadt, kann man die Ärmsten und die Reichsten neben einander gehen sehen. Den einen scheint der Heißhunger aus den Augen, und sie haben kaum das Notdürftigste, um ihren Körper zu bekleiden, während die Anderen, die Reichen, nicht wissen, wohin mit ihrem Fett und was sie alles an sich hängen sollen. Manche aber wollen ihre Armut unter einem seidenen Mäntelchen oder sonst einem Flitter verbergen, und alles ist nur Schein und wieder Schein. Wie anders ist es doch auf dem Lande. Man fühlt sich freier und froher, und wie schön ist es, den Menschen, die draußen wohnen, näher zu stehen. Das Tagewerk und die Arbeit des Landmannes richtet sich nach der Natur. Die Natur gebietet ihm, was er für eine Arbeit zu verrichten hat, und man läßt sich seine Arbeit lieber von der Mutter Natur vorschreiben als von irgend einem anderen Menschen. Draußen auf dem Lande ist für jedes Würmchen und jedes Käferchen gesorgt worden, und jedes bekommt seine Nahrung und Kleidung. Es gibt nichts Abstoßend in der Natur, und ich kann nicht verstehen, wie so viele Menschen sich vor Würmchen und Käfern ekeln können. Die Natur erfreut nicht nur, sondern erzieht auch den Menschen. Mancher Mensch, der aus der Stadt einmal auf das Land kommt, wird von der Natur zum Nachdenken gezwungen. Man fragt sich unwillkürlich, wer hat dieses all so weise eingerichtet. Man kommt zu dem Resultat, es muß einen Gott, und zwar einen großen und gütigen geben, denn daß das alles bloß die Natur gemacht hat, das kann man sich nicht gut vorstellen. Wo nirgends, als auf dem Lande, gibt es so feste und ernste Charaktere. Allerdings paßt sich der Charakter dem Lande und dem Klima an. Ein Mensch, der im Norden wohnt, und der mit der Natur um sein Dasein ringen muß, hat einen anderen Charakter als der, dem die Natur alles in den Schoß wirft. Der eine ist finster, trotzig und entschlossen, während der andere sorgloser ins Leben schaut. Die Landleute haben Gelegenheit, ihren Charakter zu befestigen. Sie sind sehr oft stundenlang allein und können über sich nachdenken. Ein Landbewohner hat nicht schnell einen Entschluß gefaßt, auch gibt er nicht schnell ein Versprechen, aber was er verspricht, das hält er. Ein Beispiel dafür ist, daß die Landbewohner trotz Krieg und Revolution noch zu ihrem alten König und Kaiser halten und nur wünschen, daß er bald wiederkommt. Sie hängen am Vaterlande und an den alt hergebrachten Sitten. Jede neue Änderung schauen sie mißtrauisch an und wollen sich nicht damit befreunden. Ihre Liebe zum Vaterlande kann man sich durch die Liebe zur Scholle erklären. Diese Liebe kann man verstehen, weil sie für uns beispielhaft ist für die Liebe zu Haus und Umgebung. Die Landbewohner gehören alle einem Stande an und haben alle denselben Beruf. Die Landbewohner kennen sich alle von Jugend auf an, und auch ihre Väter und Vorfahren haben sich alle von Jugend auf an gekannt. n Band der Freundschaft und Kameradschaft umschlingt sie alle, und wir sind von Dank erfüllt, daß wir noch solche Menschen haben, denn in diesem Schlage steckt noch die Kraft und der Mut des früheren deutschen Volkes. Hoffentlich geht etwas von dieser Kraft und diesem Mut auf die leichten Städter über, damit wir wieder ein einiges Volk werden können.

Die alten Elternhäuser sind vollgestopft mit alten Heften, Alben, Briefen und den Dokumenten des Treuseins.

Wie ist das: die Einrichtung des Wohnzimmers hat die Art und Weise des Denkens etc. bestimmt, oder umgekehrt, die Art und Weise des Denkens etc. hat die Einrichtung des Wohnzimmers bestimmt? Das Wohnzimmer ist ein Beispiel, das Wohnzimmer zum Beispiel von Großeltern. Diese Zelle der Häuslichkeit hat die vergangenen Polit-Systeme so überstanden, daß man sitzend auf dem Sofa in der Betrachtung der dunkelen Möbelstücke, der zeitverlorenen Bilder an den Wänden und der in den Bücherschränken zusammengewachsenen Bücher nichts wahrnimmt, was an die Vorgänge außerhalb dieser Umgebung erinnerte. Oder doch: wo der Volksempfänger bis zu seinem Zusammenbruch gestanden hat, steht ein Drucktasten-Gerät aus den Fünfziger Jahren. Auf diesem Garten-Foto ist ein Parteiabzeichen unter blauer Tinte zum Verschwinden gebracht worden. Dieser Unteroffizier hat es noch bis zum Leutnant und schließlich zu einem Volltreffer an der Rhône gebracht. Also Spuren, aber wenn ich dasitze, da sitze, sitze ich zugleich in kaisertreuer Zeit da, und ich frage mich wieder nach den Wirkungsresten solcher Zeit auf das Denken und Verhalten von Leuten, die in ihrer alternden Lebendigkeit zwar viel zu erzählen haben, aber nicht wissen, daß sich in ihren Erzählungen bloß sogenannter Zeitgeist wiederholt. Und so die Briefe, die Hefte: die Schrift hat sich verändert, das Geschriebene nicht. Todsicher werden in meinem Zum-Beispiel-Wohnzimmer im nächsten Century welche Entdeckungen gemacht?

Der Benzinpreis ist ein politischer Preis. Die politische Einstellung zum Benzinpreis kann man in der SB-Stadt auf den einfachsten Nenner bringen. Das ist der Niedrigpreis.

Frau Wesseling ist heute am Samstag wieder früh auf und jetzt wartet sie schon vor dem Schuppen, daß Meister Wesseling im Schuppen mit dem alten Ford-Combi endlich klarkommt. Im Einzugsbereich des Selbstbedienungs-Warenhaus-Areals sind mehr als 70 000 Fahrzeuge gemeldet, weshalb sich über die vierspurige Direktverbindung ein ganz schön zäher Konvoi hinbewegt, wohin, na sind Sie denn nicht mit heute dabei zur großen SB-Stadt-Kunden-Parlament-Vorstellung mit großem Poster-Malwettbewerb und Geburtstagsüberraschungen für die Geburtstags-Glückskinder heute den ganzen offenen Samstag? Das amerikanische Discount Department Store System With Self-Service hat im Jahre 1969 einen Gesamtumsatz von mehr als 20 Millionen Dollar erzielt, und es ist das amerikanische Beispiel, das den Verbrauchermarkt an den Peripherien der Städte seiner Distributionsweise, seines umfassenden Sortiments von Waren des täglichen Bedarfs und Verbrauchs, seiner extrem niedrigen Preise, seines günstigen Standorts, der raschen Zufahrtsmöglichkeiten, bequemer, parkuhrfreier und ausreichender Parkplatzmöglichkeiten und der pausenlosen Öffnungszeiten wegen zu einer Attraktion macht, die mich bis ins Innerste meiner

Kauf- und Konsumgewohnheiten getroffen hat und trifft. Frau Wesseling mit ihren kurzsichtigen Augen studiert noch einmal und zitiert halblaut die Liste des Wochenbedarfs und vergißt ihr neues Leid. Wind weht Wolken frisch über das tischflache rheinische Ackerland zwischen den umgebenden Ballungsgebieten, deren Bevölkerungsdichte die Voraussetzung geboten hat für die in siebenmonatiger Rekord-Bauzeit durchgeführte Errichtung eines in umgekehrter L-Form auf 15 000 Quadratmeter Ackerfläche daliegenden Super-Bungalows, welcher in mir, wenn ich mit meinem orangefarbenen Mini-Cruiser in einen der 1300 Parkräume hineingekurvt bin und unter einem blauen Hochdruck-Himmel über die Auto-Piste hüpfe, viel Lust und Bedürfnis aktiv macht nach der freien Selbstbedienung im direkten Kontakt mit der Ware aus aller Welt. Wo kann er denn nur wieder sein, denkt Frau Wesseling und blickt in das Gewühl der Wäsche-Querstraßen hinein, aber Meister Wesseling hält sich am Gürtelreifen-Stand auf und studiert den Gürtelreifen-Niedrigpreis. Nur wenige der 2000 Einkaufsrollwagen mit Baby-Sitz stehen unbenutzt auf dem Parkplatz der Einkaufsrollwagen in zusammengeschobenen Reihen, aus denen ich mir einen der riesigen Warenkäfige loshakele zur Teilnahme am kompletten Service-System mit Autowaschstraße, Tankanlage und Diagnose-Center, chemischer Schnellreinigung, Reisebüro, Schuh-Absatzbar, Schlüsselbar, Kinderhort und Fotofix. Wir wollen heute ein vollautomatisch abgepacktes Stück von der täglich 10 Kilometer langen Bratwurst haben, und wir wollen in den Regalstraßen suchen nach einem Astronauten-Kinderanzug, nach Wolf's Knabbersäcken, Tiko-Apfelstrudel, Heidschnucken-Fellen und einem Telefon-Kassetten-Tonbandgerät ab DM 179,–. Warum hat Frau Wesseling keine Freude mehr an den leisen Melodien aus den unsichtbaren Lautsprechern über dem Hierhin und Dahin unserer konzentrierten Gesichter?

Meister Wesseling legt in den Einkaufswagen eine Spray-Dose aus dem Spray-Dosenlager. Diese 60 Meter breite und 180 Meter lange Halle wäre mit wenigen Handgriffen in eine Lagerhalle, eine Maschinenhalle, eine Großgaragenhalle, eine Notunterkunftshalle umzuwandeln; wir befinden uns mithin in einem Mehrzweckbau, der an plötzliche ökonomische oder werweißwelche Veränderungen anzupassen wäre; aber wer will denn jetzt daran denken, jetzt, im Moment der Einlösung der Einkaufsgutscheine gegen Vorlage der Geburtsurkunde des heute seinen ersten Geburtstag feiernden Sprößlings? Fröhliches Geschrei im Kinderhort. Im Kinderhort wird eine Einkaufsstadt am Rande einer großen Stadt gebaut mit Schnellstraßen für fernlenkbare Automobile. Frau Wesseling denkt an ihr Enkelkind und seine gottverlassene Mutter und die Schulden durch die Anwaltskosten für die Scheidung, in die sie, was ihre eigenen Nöte angeht, nie und nimmer einwilligen wird. Willst du nun im Pelz-Shop einen Pelz probieren? Willst Du im Betten-Shop einmal Schlaf-dich-aus probieren? Willst du im Schrank-Studio Fächer aufklappen? Heute ist Probier-Tag. Frau Wesseling denkt, das lohnt sich nicht mehr. Was lohnt sich nicht mehr? Nun achten wir erst mal auf das Ergebnis der Wahl des SB-Stadt-Präsidenten und des frei von unseren Kunden gewählten Kundenparlaments: Doris Schmidt, Heiner von Drewo, Charly Barnet, Angelika Undress, Robert Schmieding, Walter Weide, Wolfgang Ratschek, Dr. Birgit Kuhlenkampff, Marcello Baum, Ina Domin und viele Bewerber mehr, mit Anklang und auf Grund von Sympathie, unbescholten, sodaß das kühle SB-Stadt-Expertenteam seine helle Freude hat, und es hat jemand gefunden, der repräsentiert. Es repräsentiert: Egon Arthur, Präsident. Mein Rollwagen wird voller und voller von Schallplatten, Auto-Fußmatten, Sangrita-Flaschen, Tonic-Wasser-Flaschen, Le-Tartare-Käse, T-Bone-Steaks, Freizeithemden, kalifornischen Radieschen, Komitee-Mützen, Schwämmen, Rasenmäher-Ersatzteilen, und wer räumt alles wieder ein heute abend, wenn ich den klirrenden Karren stehen lasse und einfach weg gehe auf den Acker draußen unter den sirrenden Drähten der Überlandleitung? Ich frage dich, und antworte mir, Präsident. Wesseling, der alte Knacker, der gar kein alter Knacker ist, packt Taschentücher neben den ungarischen Wein, Handspiegel, Dosen voll Spray für unter die Arme, und Frau Wesseling hat nicht auf dem Wochenbedarf stehen diese Artikel, diesen Schaum, diesen Glanz, dieses Fit-Machende, diese Extras. Verwirrt innehaltend in der Ruhezone der Bücherauswahl hält sie ihren Lage- und Informationsplan vor die Augen. Wo bin ich? 1: Frischblumen direkt vom Großmarkt. 2: Baby- und Kinder-Textilien. 3: Damen- und Herren-Textilien. 4: Oberbekleidung für die ganze Familie. 5: Schuhe und Lederwaren für die ganze Familie. 6: Gardinen, Tischdecken und Kissen. 7: Glas, Porzellan, Keramik und Geschenkartikel aus aller Welt. 8: Farben und Tapezierbedarf. 9: Alles für den Heim- und Handwerker. 10: Spielwaren für kleine und große Kinder. 11: Praktisches Autozubehör für alle Autotypen. 12: Sportartikel für Profis und Amateure. 13: Radio, Phono, Fernsehen und Schallplatten in jeder gewünschten Richtung. 14: Lampen und Leuchten. 15: Geschirrspüler, Gefriertruhen, Herde. 16: Ein Superangebot an Lebensmitteln aus aller Welt. 17: Leseecke mit großer Bücherauswahl für jeden Lesegeschmack. 18: Foto-Optik mit Porträt-Studio und Foto-Schnelldienst mit allen Vergrößerungen. 19: Wasch- und Säuberungsmittel. 20: Kosmetik und Körperpflege. 21: Pelz-Shop. 22: SB-Stadt-Restaurant mit Schnellbar. 23: Bank. 24: Superauswahl Polstermöbel. 25: Teppiche. 26: Küchenmöbel. 27: Alles für das Gästezimmer. 28: Matratzen. 29: Schlafzimmer. 30: Speisezimmer. 31: Wohnzimmer. Geschmackvolle Stilmöbel zum Niedrigpreis durch: Selbstbedienung u

Selbstabholung in der Selbstabholerzone. Auf Wunsch vermitteln wir Ihnen einen Spediteur. 32: Dreißig Kassen. 33: Gold- und Silberwaren. Uhren. 34: Absatzbar. Schlüsseldienst. 35: Zeitschriften und Tabakwaren. Wir wollen also durchaus die Angebotspalette des Einzelhandels bereichern, ohne jedoch den Kunden die Verdienstspannen des Einzelhandels derart spürbar werden zu lassen, daß der Kunde auch noch für die Verdienstspannen des Einzelhandels aufzukommen hat. Wie gesagt, 50 000 Artikel bieten wir an, und allein die Kühltruhen für Frischwaren sind 75 Meter lang. Frau Wesseling biegt in die Straßen der Kühltruhen ein und kommt nicht an die Kühltruhen heran, weil familienweise die Wochenendauswahl getroffen wird. Der Präsident setzt sich täglich für die Familienfreundlichkeit der Kunden-Stadt ein. Frau Wesseling weiß nicht mehr, was jetzt aus der Familie wird. Wo treffen wir uns, hat sie Meister Wesseling gefragt. An einer der dreißig Kassen. Wesseling wühlt den ganzen Blusen-Sonderangebots-Stand durch und fährt noch einmal hinüber zur Kosmetik und Körperpflege. Ich habe meine stille Freude an den ruhigen vollgestellten Flächen mit abertausenden von orangenen, grünen, rosafarbenen, violetten und roten Plastikformen der Tuben, Flaschen und Kannen für das Säubern und Pflegen unseres täglichen Inventars, unserer Kleidung, unserer Haare, unserer Böden, unserer Becken. Und es sollte ein fahrbarer Glastisch sein für das Servieren und Abstellen. Und nehmen wir den Rezept-Dienst wahr? Wir nehmen ihn wahr, die 250 Gramm Stew-Beef, die 4 Eßlöffel Pflanzenöl, die 2 gewürfelten Zwiebeln, diese 3 Tomaten, diese 8 grünen Bananen, die 2 Teelöffel Curry, den einen viertel Liter Wasser. Niemals bin ich mißtrauisch gewesen, denkt Frau Wesseling plötzlich, aber das war vielleicht der Fehler, daß ich so doof gewesen bin, so naiv, so blöde, so ohne Zweifel, so sicher und, ja, auch so ganz ganz ohne Arg. Hat uns diese Selbstbedienungs-Einkaufsweise nun zu freien oder zu unfreien Menschen gemacht? Ist es Terror, daß wir unsere mit Fußbällen, Rehrücken, Zwiebelsäcken, Zelten, Zobelmänteln, Bierkästen, Kühlschränken, Schnittlauch, Fahrradmänteln, Henne-Gocki-Eiern, Tennisschuhen, Sauerkrautdosen und Dill vollgeladenen Einkaufswagen vor uns her schieben in den Andrang auf die dreißig ratternden Kassen hinein? War es Glück, als wir auf leergekämmten Äckern der Ostzone nach vereinzelten Ähren uns bückten? Will nur der frisch gewählte Präsident, will nur das Kunden-Parlament, daß Konsum eine Lust ist, und wollen beide Instanzen nur so, weil beide Instanzen in den Markt als Interessenvertreter des Marktes integriert sind? Wer stellt diese Fragen in uns? Frau Wesseling käme von allein nicht auf die Idee, daß es ein Bewußtsein gibt, das den Lustgewinn verbietet, den der Kunde aus dem Kaufen seiner Waren ziehen darf und soll. Frau Wesseling käme nicht auf die Idee, hinter Schaumbadtuben einen Zeitzünder abzusetzen. Frau Wesseling wäre leicht glücklich zu machen. Sie produziert keine Komplikationen. Sie weiß nicht, warum man auf den Gedanken des Abschaffens verfällt. Trotzdem ist alles durcheinander im Leben von Frau Wesseling. Ein Opfer ist sie. Ein Opfer wessen? Reichen zur Erklärung Hinweise auf private Umstände aus? Meister Wesseling hat den Combi bereits durch die Waschanlage zur Niedrigpreis-Hochoktan-Tankstelle dirigiert. Nein, das kann er nicht, denn am Wochenende erzeugt der Andrang auf den billigen Sprit derartige Wartezeiten, daß wir Meister Wesseling zu diesem Zeitpunkt noch nicht am Ende unserer Erzählung mit vollgetanktem Wagen warten lassen können. Also wohin mit ihm? An den Tabakstand. Er raucht nicht mehr; er hat neuerdings Ausgaben, die ihn zu Einsparungen zwingen. An den Schnellimbißwagen in den Duftbereich rot leuchtender Curry-Wurst. Auch die Curry-Wurst verkneift er sich. Blumenstand. Blumenstand ist gut. Zum

Warten. Zum Überlegen ob rote Rosen kaufen. Zum Träumen von dem, was einem Mann all die Jahre lang durchgegangen ist und worauf der Mann, solange es noch klappt, nur als Dofkopp verzichtet, verstehst du? Es ist das allgemeine, nicht enden wollende, unübersehbare Angebot, das zwar nicht den ganzen Katalog deiner Wünsche, aber doch einiges, lange Zurückgestautes, das Besondere, das schon immer Angepeilte, das auch wirklich Greifbare, das nicht völlig hinter dem Mond Liegende, plötzlich möglich, nein, plötzlich wirklich macht. Und ich sage mir: es ist ja schließlich der ganze Wochenbedarf, der jetzt so ins Geld haut, und so gesehen, unter Vorrats-Aspekten, rationalisiere ich mit dem ins Geld Hauenden meine Lebenshaltungskosten für die kommende Woche. Oder sind wir doch wieder rumgekriegt worden und haben wieder mehr aufgeladen, als der eigentliche Bedarf notwendig macht? Meister Wesseling läßt seine Augen an der Reihe der dreißig Orange-Mädchen hinter den dreißig ratternden Kassen vorbeigehen. Draußen geht frischer Landwind über die Park-Piste unter den summenden Masten der Überlandleitung. Sie können sich das einfach machen: Sie machen das so: einfach mit dem Einkaufswagen fahren Sie bis zu Ihrem Wagen und laden von jenem auf diesen über und lassen einfach dann stehen und wir holen ab. Was? Na den leeren, den Wagen, stehen lassen und wir damit ab. Ringsrum auf der tischflachen Fläche des Landes kommen Autobahn-Zubringer näher, und es glitzern in der Ferne des Horizonts zarte Gespinste der Kräne, und wir stehen in der Schlange schmutziger, in der Waschanlage verschwindender, aus der Waschanlage hervorkommender, nasser, blinkender Automobile. Oft, wenn wir miteinander reden wollen, verstehen wir unsere Worte nicht im Dröhnen über uns der tiefen in Wahn auf der Heide drüben aufsetzenden Maschinen. Frau Wesseling sitzt eingekeilt und still hinten im grünen alten Ford-Combi zwischen Sacktüten und betrachtet den grauen Haarkranz im Nacken Meister Wesselings, der nach über fünfundzwanzig Jahren nicht mehr will. Nicht mehr will. Nun weiß sie es. Und kann den Zwang nicht mehr loswerden daran zu denken. Aber Frau Wesseling ist nicht nur kurzsichtig, sondern setzt auch kein Vertrauen in das Kunden-Parlament. Doris Schmidt, Angelika Undress, Dr. Birgit Kuhlenkampff, Ina Domin und alle anderen Abgeordneten sorgen dafür, daß aus der Kunden-Stadt eine Familien-Stadt wird. In der wir nächsten Familien-Samstag wieder sind. Warum zögern Sie noch, Frau Wesseling?

Im Februar erklärt der Europarat das Jahr 1970 zum Europäischen Naturschutzjahr und verkündet eine Charta des Naturschutzes.

Abgase ziehen über die Gärten und wir räumen die Terrassen terrassentürenschließend. Sinahs Pferd ist erstickt. Der alte Naturschutz ist statisch und beschränkt sich auf die Erhaltung der letzten Reste; was wir brauchen, ist Umweltschutz als Vorwärtsverteidigung. Wir schließen uns mit den entschlossenen Nachbarn zu Schutztrupps zusammen und entsenden Patrouillen in die Erholungslandschaft. Ich sage: der Klimawechsel ist von Einflüssen bestimmt, die außerklimatischen Ursprungs sind. Sinah gräbt ihr Pferd ein und stößt auf eingegrabene Automobile. Hoffnung ist geweckt: die Regierung beruft den Frankfurter Zoodirektor zum Naturschutzbeauftragten der Regierung. Sinah ist getröstet, fast. Mehr amerikanische Bürger haben mehr Sorge um die Erholungslandschaft als um die Armenfürsorge. Ich verbiete der gesamten Familie, Wasser aus der Leitung zu trinken. Die Familie will in den Wald. Gut. Wir fahren in den Wald und zugleich mit sech zigtausend Nachbarn kommen wir an im Wald. Wenn ich sonst nichts produziere, ich produziere mit meinen Nachbarn den Rauch, die Geräusche, das Weggeworfene, das Abgeflossene, und die Mittel solcher Produktion sind in deiner und meiner Hand. Pauly, endgültig verzichtet Pauly auf dieses Amerika: sieben Millionen Autos, zwanzig Millionen Tonnen Papier, achtundvierzig Milliarden Konservendosen, sechsundzwanzig Milliarden Flaschen, all das, in einem Jahr, auf einem Müll, das ist kein menschlicher Markt. Ariane hat einen Cocktail für das Familienstammhaus beschlossen: die Familie ist an der Gaserzeugung beteiligt. Betrachte diese Bilderwelt, diesen Ausstellungskatalog, diese Revolution der Ästhetik, diesen Schrott. Mein Hausfreund, Dramaturg, entlarvt mich: Wortmüll. Wir stapfen ins Freie und schrecken zurück, und fliehen zurück in die Landschaftsauffassung der holländischen Malerei. Gase ziehen über Gärten und wir sitzen auf Terrassen und riechen nichts.

Ich schreibe dir heute aus dem neuen Großraumbüro, und ich frage mich immer, ob du dir draußen vorstellen kannst, was das eigentlich ist.

Die Namen schreibe ich besser nicht aus, denn Kontrolle ist zwar keine da direkt, aber Überblick ist über alles da und ich sitze ungeschützt. Im neuen Funktionsraum. Wir haben den neuen Funktionsraum, und wir machen als erstes die Erfahrung, daß keiner so richtig glücklich ist. Aber vorher ist auch keiner glücklich gewesen, so richtig, und so gesehen bleibt alles beim alten. B. ist aber glücklich, er sagt: nun muß ich nicht mehr mit dem schwitzenden P. zusammensitzen, in dieser Zelle, ohne Klimaanlage, ohne Teppich und Geräuschdämmung. Da kann ich nur kurz lachen. Um mich herum ist immer ein Summen, ein Flüstern, ein Geraschel, ein Gesirr; nein, laut ist es nicht, aber immer ist Geräusch in der Umgebung, Summen, Klingeln, Schnarren, Gesirr. Und weit weg sind die Fenster. Flache Panorama-Scheiben, goldbedampft. Nicht zu öffnen, Klima automatisch; gut zu putzen, da grinsen in ihren Wägelchen die Fensterputzer draußen wieder herein. Ich sitze, nein, in der Mitte kann ich nicht sagen; es gibt keine Mitte, es gibt nur dezentralisierte Bereiche. Arbeitszonen, Ruhezonen. Auch W. ist glücklich, und jeder weiß warum, und jeder äugt ihr ja auch nach, wenn sie durch die Zonen rauscht. Fast alle Abteilungsleiter sagen gar nichts, und das heißt, ich kann mir vorstellen, glücklich sind sie auch nicht. Obschon sie am besten dran sind. Alle Abteilungsleiter sitzen umgeben von Blattpflanzen-Wänden, alle in der Nähe der Panorama-Scheiben. Ich kann Dr. D. nicht sehen, aber ich habe das Gefühl, irgendwie kann er mich sehen, kann er alle Arbeitsplätze sehen in seinem Abteilungsbereich. F. sagt: früher saßen wir in Dutzenden von Zwingern, jetzt sitzen wir in einem Zwinger, und der Unterschied ist, daß wir in dem einen Zwinger bequemer zu besichtigen sind. M. sagt, das muß man anders sehen. F. fragt, wie muß man das denn sehen. Der Funktionsraum ist ein Organisationsmittel, sagt M., und F. sagt, das haben genau auch die Typen gesagt, die monatelang hier herum gesessen, alles ausgefragt, Modelle ausgesponnen, ihr Geld eingestrichen, die sogenannte neue Organisation eingebrockt und hier diesen Zwinger schließlich auf dem Gewissen haben, falls diese Typen ein Gewissen haben. Ich weiß nicht so genau, was ein Funktionsraum eigentlich ist, aber richtig weiß es keiner genau, auch Dr. D. nicht, auch M. nicht, aber wir sitzen jetzt drin. Und irgendwie ist jetzt die Kommunikation optimiert. Das sagt auch M. Informationen kommen herein. Werden gesammelt, verteilt. Rückfragen gehen heraus. Stellungnahmen mit Zusatzinformationen kommen zurück. Neue Verteilung, Vergleiche. Die Ergebnisse wieder gesammelt hinaus in die externen Entscheidungsbereiche. Alle Daten stehen auf Abruf zur Verfügung. Ich drücke meine Taste, und was ich habe, ist meine Einzelinformation. Jetzt kann keiner kommen und fragt: keine Fehler beim Rechnen? keine falsche Kommastelle? kein Suchen nach Spalten? kein Suchen nach Warensteuer- und Kundengruppen? kein Suchen nach Zwischen- und Endsummen? kein Irrtum mit Prozent- und Promille-Rechnung? keine nochmalige Kontrolle? Das ist mein Bereich, alles automatisch. F. will sich nicht abfinden mit der direkten Sprechanlage, läuft lieber persönlich herum und sagt immer, wenn erst mal Kamera und Bildschirm mit dran sind, hört die Gemütlichkeit völlig auf. Ich bin erst immer erschrocken, wenn plötzlich aus dem Fahrrohr eine Rohrmitteilung schießt. Früher kamen Boten und erzählten mal was. Früher haben wir stundenlang Kaffee kochen können. Kaffee können wir jetzt kochen in den Ruheräumen, das heißt, wir müssen dort, nirgendwo sonst. Wir haben jetzt fließende Pausenzeiten. Die Pausenzeiten sind so auskalkuliert, daß erstens kein Gedränge ist und zweitens der Informationsverkehr nicht auf einmal dort stockt, wo gerade Pausenzeit ist. Das hat allen eingeleuchtet, obschon P. jetzt immer klagt, daß er zum Beispiel B. in keiner Pausenzeit zu sehen kriegt. Daß B. nicht darüber klagt, verstehen wir, verstehen alle, die in der Nähe von P. einmal gesessen haben. Alles fluktuiert, aber F. sagt, das sieht nur so aus, in Wahrheit bewegt sich nichts vom Fleck. Was bewegt sich nicht vom Fleck, will der junge T. wissen. Sie, zum Beispiel, Sie bewegen sich nicht vom Fleck, sagt F. zu T., und wenn Sie das jetzt noch nicht merken, merken Sie es in fünf Jahren, dann nämlich, wenn Sie noch immer sitzen am selben Fleck. Oder Sie sind verkauft. Oder Sie sind gefeuert. Was F. sagt, ist immer nur halbwahr. Aufstiegschancen gibt es nämlich, aber viele wollen keine

Aufstiegschancen. Was soll ich mit der Gehaltssteigerung, sagt zum Beispiel A., wenn sich alles andere steigert: Verantwortung, Risiko, Leistung, und der Feierabend ist hin. Der Mann denkt klug. U's Beispiel warnt. U. kam an, clever, dynamisch, ausgesprochenes Führungstalent, Ideen, zäh, Elan, was alles auch gleich die Spitze erkennt. U. kriegt von der Spitze alle Chancen, und dann weiß er plötzlich alles besser, will alles anders einfunktionieren, hat natürlich Pech, haut ein paar Mal daneben, verkalkuliert sich, verplant sich, wo ist er jetzt, draußen. Ähnlich E., ähnlich im Typ, bloß mit viel mehr Vorsicht, anpassungsfähig, riskiert nichts, schafft es, ist oben, bloß, jetzt ist er oben und von unten weiß er nichts mehr, will er nichts mehr wissen, verschwunden, oben. Wer Chef werden will, muß asozial sein, das sagt wieder F.; F. sieht vieles richtig, auch wenn er übertreibt. So geht das hier. Wir sind ein Team, sagt Dr. D., na ja. Wir hängen jedenfalls jetzt alle dichter aufeinander, gruppenidentisch, sagt M., aber jeder versucht, irgendwie er selbst zu bleiben. Ich meine, früher hatte jedes Büro durch den, der darin saß, sein eigenes Gesicht, schon dadurch, daß jeder seine eigenen Gewächse stehen oder irgendwas Eigenes an den Wänden hängen hatte. Das hat jetzt aufgehört. Es haben auch die Raumgestalter gesagt, daß für produktive Arbeitsleistung die Individualzone zwar notwendig ist, aber nicht außerhalb der Gesamtkonzeption der Raum- und Arbeitsplatzgestaltung. Also, ich wollte sagen: alles fertig eingerichtet, alles aufeinander bezogen, alles und jedes integriert, aber nichts ist mehr persönlich, das heißt, die meisten versuchen irgendwas Persönliches zu schaffen, um sich herum. W. wollte natürlich alle ihre Stofftiere aufbauen, ebenso wie I. mit ihrer Kakteensammlung, und N. hat verzweifelt nach einer Wand für seine Postkarten gesucht, na ja, Wände sind entfallen und Hobbies sind da nicht mehr drin. Im Funktionsraum. Am Anfang klang das noch irgendwie komisch, wenn einer Funktionsraum sagte, oder wie F. das sagte: sogenannter Funktionsraum. Jetzt lacht schon keiner mehr. Es klagt auch keiner mehr. So richtig glücklich ist aber noch keiner. Bloß war das vorher auch keiner. Bist du es denn?

Stimmungs-Programm.

Wir sind lebhaft, frisch, erleichternd und anregend; wir sind gelb, raumauflösend und strahlend.
Komm, wenn du kommst, komm himmelblau; sei sehnend, empfangend, gemütvoll; weite den Raum.
Der Stabile, der Nüchterne, der Fertigende, der Bodenhaftige; der Braune.
Purpurrot treten wir auf; wir strecken die Räume, würdig und prächtig, gebieterisch.
Wenn du zart bist, bist du auch weich; wenn du besänftigst, bist du lindgrün; wenn du umhegst, formst du aus.
Ich, violett; zwiespältig bin ich, geheimnisvoll; ich bilde Kontraste, ich bilde Erlebnis.
Es ist etwas Besonnenes, etwas Gedankliches, etwas Dämpfendes; es ist etwas die Wirkung Neutralisierendes, etwas Persönliches, Rauchgraues.
Springe, sei sprunghaft; sei locker, heiter und maigrün; löse auf, leicht, sei auflösend; zerstreue Licht.
Wärmend sein und näher bringend; orangenhaft und immer vergnügt, festlich und konturenbildend.
Man steigert sich bis zur Hitzigkeit; man ist erregt bis zur Leidenschaftlichkeit; man geht über zur Aggressivität: man läuft karminrot an.
Du bist silbergrau und dämpfst natürlich die Lust; aber du regulierst auch, du bist ausgleichend, konstruktiv und keineswegs kalt.

Wir wünschen, was erdhaft ist, was warmhält; wir wünschen es statisch und beige; wir stellen uns Räumliches und Ausformendes vor; wir hätten es gern trocken und fest.
Warum sind Sie immer kalt; wenn Sie erweiternd sind, sind Sie hell und türkis; nun halten Sie sich zurück, und aufblickend sind Sie; Sie sind empfindsam, ja, aber erhöhend.
Es muß wieder Raum gegeben werden, harter und hellblauer, denn es müssen Gemütskräfte strahlen.
Rosa und kraftlos fangen wir an; wir machen weiter distanziert; wir halten inne mit einem schönen Umweltgefühl; zart setzen wir fort und lösen leicht am Ende auf.
Ich komme; feierlich komme ich und schwarz; alle Begrenzung lösche ich aus und unsicher werde ich werden; raumfeindlich muß ich sein; einsaugend will ich bleiben.
Du Begehrender in deiner moosgrünen Vitalität; begehre naturhaft, weite naturhaft aus; begehre neutralisierend.
Nun schweben wir davon; hervorgetreten sind wir und Wände haben wir gebildet; nun sind wir weiß und schweben unirdisch davon.

Wahner Heide.

Das ganze alte Kartenmaterial kann ich langsam unter die Antiquitäten reihen, das neue auch: im Landesvermessungsamt kommen die Landesvermesser nicht mit in der Aufzeichnung der Erdbewegungen in der Landschaft; allein zur Verbindung der EB 8 mit dem Autobahnkreuz Flughafen via Flughafen-Querspange waren es wieder 35 000 Kubikmeter Erdreich, das bewegt werden mußte. Menschen, die fliegen, wissen, warum. Auf den nördlichen Sandflächen der alten Heide zwischen Porz, Altenrath und Troisdorf liegt jetzt neues Betonwerk, dessen Funktion in meßbarer Phonstärke ich augenblicklich wahrnehme in meinem Dichterzimmer mit Blick auf Bäume und den Flugschneisen-Himmel darüber als die eines den Verkehr durch die Luft mit dem Verkehr über die Erde verbindenden Mediums. Unten in der Einfahrt steht unser Das Auto des Jahres, in das wir einsteigen, um über die Mauspfad-Verkehrs-Andienung zum Air-Dinner einmal hinzufahren; das machen wir jetzt in fünfzehn Minuten. Die Heide zieht sich in ihrer historischen Dimension in einem Nordwest-Südost-Rechteck durch die historischen Bürgermeistereien Heumar, Wahn, Rösrath und den Kreis des Flusses Sieg. Einst war sie oft der Tummelplatz blutigen Zwistes: so im Juli 1417 im Zwist zwischen den Bergischen und den Mörsischen; ebenso im Mai 1646 im Zwist zwischen Hessen und Truppen der Liga; und wieder so im Herbst 1796 im Zwist zwischen den Kaiserlichen und den Franzosen. Architekturkritik spricht von der fürstlichen Repräsentation eines barocken Cour d'honneur: im Hinblick auf die autobahnbreiten Zufahrten in das Terrassensystem des von je 150 Meter langen Betonschenkeln umgebenen, U-förmigen Empfangshofes, in dessen Mitten sich als weitere Barock-Idee ein See und das weiße, japanporzellan-verkleidete Sechseck eines Turmes repräsentiert. Irgendwo auf Kieshalden parken wir und stapfen durch den Sand der Heide zwischen Baubuden durch den Geruch naher glimmender Müllhalden in das Schleifen- und Kreiselsystem der Empfangsgeste. Noch empfängt Leere. Gigantische Passagiermengen produzieren erst die achtziger Jahre. Immerhin. Kurz vor dem ersten Weltkrieg landet im Wahner Sand die erste Rumplertaube mit Oberleutnant Hantelmann und Leutnant Jolly im kaiserlichen Auftrag, die Möglichkeiten einer Fliegerstation auszukundschaften. Das Gelände ist den Herren in Berlin wohlbekannt, schießt sich doch seit 1817 zwischen Birken und Ginster preußische Artillerie auf ihre Manöverziele hier ein. Mit meinem Fahrrad trudelte ich über die alten Sandwege immer an heißen, summenden Tagen und lag im Heidekraut und stehenden Wolken träumend von der fernen Liebsten und Gedichte machend wie dieser Gedichtemacher bei Alphonse Daudet. Polizei mit Walkie-Talkies am Ohr verwehrt den Zutritt zu den beiden sternförmigen Flugrampen, weil wir Bomben mit uns haben in den Manteltaschen. Kommandant Lehmann kommandiert das im nahen Spich liegende Luftschiff und bezieht 1914 auf der Wahner Heide Quartier. Auf der Wahner Heide landet der Zeppelin 1930. Hauptwerke des Architekten Schneider-Esleben: u. a. das Mannesmann-Hochhaus in Düsseldorf, das Verwaltungshochhaus der Düsseldorfer Commerzbank, das Wuppertaler Innenstadtprojekt. Der Architekt klagt: alle Transparenz sei gestört; Verkaufsstände unmittelbar vor den Glaswänden störten den Blick über die Weite der Wahner Landschaft; das sei, als stellte der Herr des Hauses mit Schränken die Fenster des Hauses zu. Wir wandern in der Haupthalle an den leeren Kiosken und Kojen vorbei und lassen uns stören den Blick auf die Weite der Wahner Landschaft. Rektor Rademacher weiß: Auf der Heide liegen die Hügel der Gräber aus germanischer Zeit zu Hunderten in der verschiedensten Art und Ausdehnung. Die meisten sind kreisrund und stark gewölbt. Andern fehlt die Wölbung, und diese fast sind ganz flach. Ich stelle mir einen Objekt-Roman vor von diesem 300-Millionen-Mark-Objekt, einen Drive-in-Roman von diesem Drive-in-System mit dezentraler Abfertigung, einen Roman ohne Fußgänger. Wir stehen auf einem der Zuschauer-Decks und blicken durch die diesige rheinische Luft über Pisten auf das flache Heideland und die bergischen Hügel und Wälder. Wie fühlst du dich hier? Ich fühle mich hier nicht unwohl und erinnere mich an die Flugstationen unseres amerikanischen Rundfluges mit Round-Flight-Ticket 1966. 1933 wird die Heide Übungsplatz der Polizei; 1936 wird die Heide Übungsplatz der Reichswehr. Durchs Fenster sehe ich auffliegend wieder nach West-Berlin unter den Tragflächen zwischen huschenden Wolkenschleiern unten Panzerspuren verschwinden. An welche Wörter denkst du, wenn du das Wort Feldflughafen hörst? Ich denke an die Wörter: Feld, Grasnarbe, Waldstück, grüne Baracken, grüne Hangars, Tarnnetze, Zelte, Treibstofftanks, Laufgräben, altmodische Jagdmaschinen vom Typ Me 109, Trillerpfeifen. Die Wahner Heide wird 1938 Feldflughafen. Rektor Bendel sagt: Viele Sagen haften an diesem Orte wie eine dunkele Erinnerung des Volkes an die Bedeutung dieses Ortes. Die Sage vom General Boxholm: Von dem höchsten Hügel der Wahner Heide, der Hohen Schanz (127 m), erzählt die Sage, daß dort der mächtige General Boxholm in einem goldenen Sarge begraben liegt. An welche Wörter denkst du, wenn du das Wort Flugplatz hörst? Ich denke: Sonntag im Sommer, Hitze, Kunstflugtag, bunte Frauenkleider, Platzkonzert in Lautsprechern übertragen, Durchsagen, rotweiß gestreifte Windbeutel, Männerköpfe mit Hüten alle in einer Richtung nach oben blickend, flatternde Fahnen, Terrassen mit wehenden Tischtüchern, klirrende Eisbecher, Gewitterwolken über der staubigen Stadt. Englische Besatzung besetzt 1945 das Gelände und läßt von den späteren Nato-Kameraden zunächst eine Piste aus Eisenplatten, dann eine Piste in Beton auf den alten Militärsand legen. Im derzeitigen belgischen Truppenübungsgelände geht ein Schäfer um. Der Schafe bewacht und alle Parksünder aufschreibt und anzeigt. Bis ein Parksünder den Schäfer aufschreibt. Sein Parksünderauto. Und anzeigt. Alfred Moritz, Bürgermeister der Stadt Porz, sagt: Die Stadt Porz, in deren Mauern dieser Weltflughafen liegt, vertraut auf den technischen Fortschritt, der die Lärmauswirkungen der Jumbo-Jets auf ein vertretbares Mindestmaß reduzieren soll; so wird dem Namen unserer jungen Stadt ein neuer Klang beigemessen werden. Fremde Passagiere kennen sich nicht mehr aus: wieso Porz? was heißt Wahn? wo ist Bonn? warum nicht Köln? Also, der Köln/Bonner Regierungsflughafen liegt auf der nach der ehemaligen Bürgermeisterei Wahn genannten Wahner Heide im Stadtbezirk der Stadt Porz am Rhein im Rheinisch-Bergischen Kreis mit der Kreishauptstadt Bergisch-Gladbach im Regierungsbezirk Köln des Landes Nordrhein-Westfalen. Auf dessen Namen der erste der von der Lufthansa in Dienst genommene Jumbo-Jet von Frau Marianne Kühn, Ehefrau des Ministerpräsidenten des Landes Nordrhein-Westfalen, getauft worden ist. Aber die Knöllchen des Heideschäfers gehen an das Amtsgericht nach Siegburg? Nach Siegburg. Weil Siegburg die Kreisstadt des Siegkreises ist, des die südliche Hälfte der Wahner Heide vereinnahmenden Kreises um den Fluß der Sieg; so. Wo finden wir denn nun zwischen den Dorfresten, Kiefernwäldchen, Schützenlöchern, Weideflächen und Birkengehölzen unseren Airport wieder? Flughafendirektor Dr. Grebe sagt: Wer eine halbe Stunde vor Abflug in Köln mit dem Auto abfährt, kann auf dem sechzehn Kilometer entfernten Flughafen noch eine Tasse Kaffee trinken. Was wir garantiert mal ausprobieren werden. Wie wir ausprobieren die vom Cape Kennedy eingeflogenen Cape-Kennedy-Steaks. Und an welche Wörter denkst du, wenn du das Wort Airport hörst? Ich denke, wenn ich das Wort Airport höre, an überhaupt keine Wörter, sondern ich denke an Kollege Hailey's sagenhafte Auflagen; Verfilmungen; na. Der Architekt vergleicht zwischen Modell und dem Werk: vor dem Modell stehe der Mensch wie ein Vogel, vor dem Werk aber stehe der Mensch wie ein Frosch. Architekturkritik sagt: Beton ist sehr unwiderruflich. Was mit anderen Worten heißt: wenn dieses Ding erst seine Macken zeigt, oder wenn sich zeigt, daß dieses Steinwerk zu klein geraten und unbrauchbar geworden ist, läßt es sich nicht aufblasen, nicht zusammenklappen, nicht knicken, nicht auseinanderfalten, nicht verschieben, nicht auseinandernehmen und wieder neu zusammensetzen, nicht abtransportieren. Dieses Steinwerk wird verwittern und verweht sein vom Sand. Die Sage vom Hollstein: Dieser riesenhafte Stein kehrt seine tiefgemeißelte Öffnung dem Rheintale zu und hat die Form eines in zwei Kanten spitz auslaufenden Hutes. Daher auch Hutstein. Alte Leute erzählen: Dieser Stein ist in seinem Inneren eine Höhle, die den Hirten als Zuflucht bei Unwetter dient. Früher hausten in der Höhle vertriebene Heiden, Riesen, und Zwerge, in riesigen Hallen und Sälen, in welche sie, wenn sie vom Plündern in der Umgebung heimkehrten, geplünderte Schätze schleppten, bis es dem Herrgott mit den Heiden zu bunt ward und das Ganze er zusammenstürzen ließ. Später habe man in jeder Mainacht das Gespenst eines Riesen über die Heide stampfen sehen, den U-förmigen Stein über den Kopf gestülpt als Hut, und die Erde habe davon gezittert und gedröhnt. 8000 Meter wird die längste Piste lang sein, und er wird nicht ausgewichen Brüssel oder Frankfurt, sondern planmäßig niedergekommen sein: der erste Jumbo, fabelhaftes Massenmedium. Nun klebt aber eine kleine Boeing-707-Düse am steifen Rüssel der Periskop-Brücke, und es wird vielleicht ein Fluggast-Dutzend für Köln und ein halbes für Bonn hereingesaugt in den Satelliten B und rasch weiter verteilt in der dezentralen Abfertigung weiter rasch ins Drive-out-System, auf daß bald wieder Leere und Stille einkehre in den Hallen um uns herum in unseren schwarzen Kunstleder-Sesseln. Du bist nicht Frau Pompidou, und ich bin nicht der Kaiser Haile Selassie. Nieselregen nieselte übers Flugfeld und vereinzelt stemmten wir uns im milden rheinischen Wind an grünen Hangars vorbei zum fernen alten Empfangspavillon in den alten Zeiten davor, wenn nach den großen Trips unsre Provinz uns wiederhatte, in welcher wir uns alsbald auf Dorfstraßen verloren, heim holpernd, zwischen Häuschen und Hügeln, zum ersten bergischen Korn wieder in niedriger Stube im Dorfrest, ins Vorort-Leben, am Rand.

Auf der Grenze zwischen dem flachen und dem hügeligen Teil unseres alten ländlichen Kreises verläuft von Norden nach Süden ein Weg, eine vorgeschichtliche Handelsstraße. Es ist der Mauspfad.

Wiederholung eines Satzes: da sitzt an einem heißen Sommertag der junge arbeitslose kurzhaarige Vater mit der jungen schwangeren kurzhaarigen Mutter auf einem vorstädtischen Balkon. Dieser Satz zitiert ein Foto aus dem Jahre 1932: 10. Juli; Proust hat Geburtstag; Satz und Foto sind autobiographisch bezogen und wenn sowohl zeitlich, so auch lokal bestimmbar durch eine Umgebung, die augenblicklich wieder die nächste ist und in ihren Ausdehnungen verbunden und zusammengehalten wird durch die abwechselnd gerade und kurvenreiche Straße des Mauspfads. Erzählungen aus dem Volke erzählen vom Mäuseturm im Rhein bei Bingen immer im Zusammenhang mit dem Vorkommen von Mäusen, was freilich ein Beweis durch Sage, also unbewiesen und verschleiert bleibt wie das Gerätsel über die Herkunft des Namens unseres historischen Pfades. Frau Polly hat ihren Laden liegen in jenem Abschnitt, der durch das einstige Dorf Brück verlaufend Brücker Mauspfad heißt. Woher der Name: frage ich Frau Polly und Frau Polly sagt: der Name kommt von Mauth und nicht von Maus, dem Nagetier, und Mauth ist altdeutsch und heißt Zoll, verstehst du? Die populärste Namensdeutung erklärt mithin eine meiner ältesten Spazier-Routen als einen von Zollstationen kontrollierten Handelsweg. Der Waldbröler Heimatdichter Wilhelm von Waldbröhl, Zuccalmaglio genannt oder umgekehrt (»Kein schöner Land in dieser Zeit«: mein Vater sang's angetrunken zur Einweihung des neuen Terrassenplastikdaches allein im Regen sitzend unter dem neuen Plastikdach der Terrasse.) spricht indessen von Myse: das seien Kaninchen, die ihren Weg und Wechsel über ihren Myseweg genommen haben könnten; mag sein; Karnickel sausten im Lichtkegel meines summenden Fahrrades vor mir zögernd heimwärts Kurvendem her. Le mousse: das ist der Schiffsknecht. Schiffsknechte auch sollen den Weg genommen haben auf der Heimkehr zu ihren niederrheinischen holländischen Heimathäfen, in welchen sie, als Pferdeknechte eher doch, wenn wir denken an die Kumpels drüben in Rodenkirchen, ihre Pferde vor die Treidelschiffe gespannt hatten für den Zugweg über den rechtsrheinischen Leinpfad zu den Handelsplätzen am Oberrhein. Also auch Moussepfad, peutêtre. Inzwischen sind beinamengebend die Vororte, welche der Pfad tangiert oder schneidet, von Norden nach Süden: Dünnwalder, Höhenfelder, Dellbrücker, Brücker, Rather, Eiler, Grengeler Mauspfad, und schon sind wir entweder wieder in der nahen Selbstbedienungs-Stadt oder wieder in Wahn. Manöver? Es bumst und rasselt auf der Heide, linkerhand; rechterhand rauscht privat der Wald hinter der Mauer im Schloßpark des Schlosses Röttgen: 4711 ist immer dabei. Eine Busfahrt im 44er Bus aus der untersten Terrasse der Flughafen-Empfangs-Schleife über lange Partien des Mauspfads entlang der östlichen Peripherie der im Dunst wieder völlig unsichtbaren Stadt hin zum Stammheimer Ufer des breitströmenden Rheinwassers dauert länger als jeder innerdeutsche Flug, stiftet für das innere und äußere visuelle Erleben auch mehr Reiz und Motiv, insofern diese ebenso magische wie desillusionierende, mystische wie diesseitsbezogene Tour eine Umgebung vermittelt, in der wir finden: das verschwindende Reich der Sagen und Legenden; das sterilisierte Leben in der Ackerstadt der Konrad-Adenauer-Siedlung; in Gewitternächten den Fiebergeruch der alten Sümpfe und toten Arme des resignierenden Vaters Rhein; allerlei für Gesteinskunde; plötzliche Schützenlöcher und Laufgräben in harmlosen Wäldchen; Feudal-Reste; Großverbrauchermärkte und Autokinos; Greuel-Reminiszenzen an die Spanierzeit, die Hessenzeit, die Schwedenzeit, die Franzosenzeit, die Speckrussenzeit; Ballungsräume und Freizeiträume; Gräberfelder aus der Keltenzeit und der Germanenzeit; Sportplätze; Straßenplanungen; Hartheu, Ginster, Sonnentau, Helmkraut, Strandling, Gagel, Froschlöffel, Schlangenwurz, Weichkraut, Simse, Schnabelsame, Teichbinse, Segge und Schmiele; Kapellen des 17. und 18. Jahrhunderts, Prozessionswege, Bilderstöcke; Einbaum-Funde; Beile, Hämmer, Messer und Schaber aus der Steinzeit; Erzählungen vom leutseligen Kurfürst Jan Wellem, der seine verständnislose Gemahlin immer wieder auf Not und Leid der Untertanen aufmerksam machte; das Haus des Präsidenten; aussichtslose Kämpfe zwischen Fachwerkhäuschen und Neue-Wohnbau-Gesellschaften; verschwindende Wiesen und Gärten; Skyline-Projekte. Meinen derzeitigen Beobachtungsstand auf der Flur am Clausenberge, Liegenschaft einer alten Wallburg zum Schutze des Handels und der Handelnden, verlasse ich fast täglich und hinüberwechselnd über Straßenbahngeleise in Kiefernwald gerate ich bald an den oberen Rand der Böschung: unten über den Pfad saust der Inter-Vorort-Verkehr. In klarer Luft, also nie, nein, meistens nie, blinken hinter den Baumreihen, Überlandmasten, Schornsteinen die Türmchen der Domstadt im Westen; Bildschirm für rote Abendhimmel über der ruhigen Weite der Mielenforster Felder; kleine leuchtende Marken markieren die näherkommende Katastrophe des Autobahnzubringerbaus. Also gehe ich zur Nordsee, oder gehe ich zum Mittelmeer? Diese Alternative bietet der internationale Verlauf des Mauspfades an, indessen gelingt die Aufteilung der Person in mehrere Ichs allein im Bewußtsein, das selber der Bereich ist, in dem sich über sein Medium der Imagination die Zeiten und Orte begegnen, vermischen, verändern. Wenn Frau Polly wirklich raus aus ihrem Laden in die Welt will, muß sie vor ihrem Laden stehend sich entscheiden, ob sie Richtung Rotterdam oder Richtung Genua will. Als Impuls meiner Einbildungen wird diese Straße zu einer Straße, auf der ich als etruskischer Händler ankomme mit meinen Töpfen, Bronzen, Waffen in den runden Holzbauten der Kelten. Hat die Vergegenwärtigung des Vergangenen einen Einfluß auf die Erfahrung der Gegenwart? Ja. Welchen? Die Wirklichkeit eines Ortes wird erfahrbar als Objekt der Zeit. Was soll man aber nun empfinden, wenn man plötzlich vor einem Hause steht, in dem vor achtunddreißig Jahren an einem heißen Sommertag die jungen Eltern auf ihrem Balkon sich haben fotografieren lassen, und dieses Haus vermittelt nichts als die Tatsache seiner Zufälligkeit, seiner Folgenlosigkeit, denn es ist ausgenommen aus den späteren Verläufen unserer Geschichte mit ihren ortsnahen Konflikten und Katastrophen, und doch ein Foto und ein Fingerzeig des Vaters möchte den anonymen Block rekonstruieren als einen Anfang jungen, individuellen Lebens in der Zeit der grauen Arbeitslosigkeit, die wiederkommt immer als ein Trauma in den Polit-Streitereien zwischen den jüngeren und älteren Generationen in diesen und jenen Familien. Der Mauspfad stößt hier auf die 1842 vom Grafen Fürstenberg zu Stammheim angelegte Straße von Mülheim hinein und hinauf ins Bergische Land; wenn ich den Wegweiser spiele, verweise ich immer auf den Zwiebel-Neobarock der an der Ecke Mauspfad/Bergisch-Gladbacher Straße liegenden Kirche: Taufen und Hochzeiten werden dunkel erinnerbar und die Foto-Szene der schwankend im Diesigen sich nähernden Zylinder- und Abendkleid-Gesellschaft. Der eckballweit gelegene alte Oberliga-Platz ist wie der platzhaltende S. C. Preußen Dellbrück verschwunden: dieser mehrfach fusioniert mit benachbarten Höhenberger und Mülheimer Vereinen ist aufgegangen in dem in regionaler Liga mühsam jährlich sich haltenden S. C. Viktoria Köln, der aber gar keine Erinnerungen produziert an solche unvergeßliche Kämpen wie Fritz Herkenrath, Jean Paffrath, Heinz Schlömer und Jupp Schmidt; jener ist von den belgischen Nato-Club-Kameraden in den Bereich ihrer von einst großdeutschen Wehrmachtteilen belegten Kaserne einbezogen worden als Garagen-Gelände. Kasernenhaftes unterbricht hier auch den natürlichen Lauf unseres alten Heerpfades, der hinter den Stellungen der Manöver-Raketen in den Löchern der Dellbrücker Heide sich wieder erst fortsetzt, anpassungsfähig, aber doch zäh und zielbewußt nach Norden über Dünnwald, Schlebusch, Opladen, Reusrath, Immigrath, Richrath, Hilden und Gerresheim nach Holland, endlich ans Meer, dessen Nähe mithin sich allein aus dem Anspruch realitätsverändernder Phantasie erklärt; die Nähe des Meers. Jedoch, so weit schaffen wir das heute nicht; schau heimwärts: in den Kirchgarten, wo einst das Ensemble des ersten Dellbrücker Garten-, Wald- und Feldtheaters seine Garten-, Wald- und Feldvorstellungen probierte mit Solo-Nummern von Dieter Weidenfeld als Nature-Boy-Singer und Hans Combecher zelebrierte Thomas-Wolfe-Orgien nach der Rilke-Zeit in der komplizierten Ensemble-Zeit mit Carin und Claus. Nachkriegsnöte verschlugen uns in das Reihenhäuschen des Fräulein Aleff. Mit Lotti trinken gegangen beim Hucklenbruch, was Lotti ein Bierchen nannte. Straßen-Dribblings. Gertraude im New-Look und sonntags in die Heide in den heute abgerissenen Heide-Hof. Gummigeruch aus der Gummifabrik. Ginster am Bahndamm. Mond in der Mainacht. Der

Mauspfad ist älter als seine erste urkundliche Erwähnung im Jahre 1288. Daß er achtlos an der römischen Colonie-Stadt sich entlangschlängelte, hat entweder damit zu tun, daß diese Colonie noch gar nicht existierte, oder aber die Wasser des Rheins fluteten noch über die Niederterrasse der rheinischen Bucht bis an die Grenzen der Mittelterrasse, auf deren Saum Uferbewohner Uferweg zum Zwecke des Warentauschens und Totschlagens suchten. In schwarzer Nacht kurven wir beschickert hinter rotglühenden Katzenaugen her über den Mielenforster Acker. Ist das der Nebelkater Niff, der jetzt in der Einfahrt des Mielenforster Schlosses verschwindet und sich vor uns Beschickerten versteckt oder wartet zum Sprung? Nein. Rotglühende Katzenaugen sind Heckleuchten eines Polizei-Ford-Combis, der schön auf uns wartet und jetzt sich hinter uns hängt und oben auf dem Mauspfad, da: wo ums Heiligenhäuschen um Mitternacht Geister ihre Tänze halten, Polizeiarm erscheinen läßt mit roter Haltekelle dran. Polizei will wissen, warum verbotenen Ackerweg gefahren. Polizei schnuppert. Polizei will Papiere haben und gibt Papiere nicht mehr her. Polizei läßt mit sich reden und gibt Papiere wieder her. Heiligenhäuschen hat geholfen und hilft weiter. Auto muß stehen bleiben im Regen und Polizei fährt fingerdrohend späte Wanderer heim. Nun sind wir wieder daheim und machen Krach. Der Mauspfad produziert keine Legenden mehr und hat eine verkehrsreiche Zukunft. Heute bin ich abgebogen auf die Mielenforster Wiesen, auf denen Erich Schuchardt Wiesenbilder gemalt hat, und bin dem Bruchbach nachgegangen unter den Bachweiden her und habe Bombentrichter voll Wasser entdeckt mit dreiunddreißig Kühen drumherum, die alle mir nachgeguckt haben, bis ich auf einen Hochstand geklettert und wieder heruntergeklettert und im Wald verschwunden bin.

Von Jürgen Becker erschienen im Suhrkamp Verlag

Felder
1964, *edition suhrkamp 61*

Ränder
1968; 1969, *edition suhrkamp 351*

Bilder Häuser Hausfreunde, *Drei Hörspiele*
1969

Umgebungen
1970

Eine Zeit ohne Wörter, Fotografien
1971, *suhrkamp taschenbuch 20*

Das Ende der Landschaftsmalerei, *Gedichte*
1974

Über Jürgen Becker
Herausgegeben von Leo Kreutzer
edition suhrkamp 552

Der Band enthält folgende Beiträge:
Jürgen Becker: Gegen die Erhaltung des literarischen Status quo
Manfred Leier: Interview mit Jürgen Becker
Klaus Schöning: Gespräch mit Jürgen Becker
Christian Linder: Gespräch mit Jürgen Becker
Roland H. Wiegenstein: Die Sprache soll es schaffen
Peter Härtling: Die Stimme und die Felder
Heinrich Böll: Jürgen Becker, »Felder«
Wolfgang Hildesheimer: Stimme der Ohnmacht
Günter Blöcker: Der große Zweifel
Hans Egon Holthusen: »Du. Und wer ist das?«
Urs Jenny: Landkartenzeit, Sprichwörterzeit
Heinrich Vormweg: Das wiederentdeckte Ich
Peter W. Jansen: Dann und wann das Empire State Building
Hans Christoph Buch/Gisela Lindemann: »Umgebungen«. Ein Buch – zwei Meinungen
Marianne Kesting: »Umgebungen« von Jürgen Becker
Wilhelm Grasshoff: Jürgen Becker, »Umgebungen«
Christhart Burgmann: Lesen in Fotos und Fotogeschichten
Walter Hinck: Die »offene Schreibweise« Jürgen Beckers
Thomas Zenke: Vom Prozeß der Erfahrung. Zu Jürgen Beckers Prosa
Fritz J. Raddatz: In dieser machbar gemachten Welt. Überlegungen zu Jürgen Becker
Helmut Heißenbüttel: Brief an Jürgen Becker über Gedichte und Erinnerung
Der Band wird beschlossen durch eine umfangreiche Primär- und Sekundärbibliographie.

Bibliothek Suhrkamp

edition suhrkamp

450 Helge Pross / Karl W. Boetticher, Manager des Kapitalismus
451 Wolfgang Lempert, Leistungsprinzip und Emanzipation
452 G. F. Jonke, Die Vermehrung der Leuchttürme
453 Matthias Hartig / Ursula Kurz, Sprache als soziale Kontrolle
454 Psychoanalyse als Sozialwissenschaft. Mit Beiträgen von Lorenzer / Dahmer / Horn / Brede / Schwanenberg
455 Ernst Bloch, Pädagogica
456 Wilhelm Alff, Der Begriff Faschismus und andere Aufsätze zur Zeitgeschichte
457 Juan Maestre Alfonso, Guatemala
458 Alfred Behrens, Gesellschaftsausweis. SocialScienceFiction
459 Goethe u. a., Torquato Tasso. Regiebuch der Bremer Inszenierung
461 Edward Bond, Gerettet. Die Hochzeit des Papstes. *Zwei Stücke*
462 Peter Ronild, Die Körper. *Roman*
463 Hans Mayer, Der Repräsentant und der Märtyrer. Konstellationen der Literatur
464 Michael Kidron, Rüstung und wirtschaftliches Wachstum. Ein Essay über den westlichen Kapitalismus nach 1945
465 Bertolt Brecht, Über Politik auf dem Theater
466 Dietlind Eckensberger, Sozialisationsbedingungen der öffentlichen Erziehung
467 Doris von Freyberg / Thomas von Freyberg, Zur Kritik der Sexualerziehung
468 Walter Benjamin, Drei Hörmodelle
469 Theodor W. Adorno, Kritik. Kleine Schriften zur Gesellschaft
470 Gert Loschütz, Gegenstände. *Gedichte und Prosa*
471 Hans Scheugl / Ernst Schmidt jr., Eine Subgeschichte des Films, 2 Bde.
472 Wlodzimierz Brus, Funktionsprobleme der sozialistischen Wirtschaft
473 Franz Xaver Kroetz, Heimarbeit / Hartnäckig / Männersache. *Drei Stücke*
474 Vlado Kristl, Sekundenfilme
476 Neues Hörspiel. Essays, Analysen, Gespräche. Herausgegeben von Klaus Schöning
477 Tom Hayden, Der Prozeß von Chicago
478 Kritische Friedensforschung. Herausgegeben von Dieter Senghaas
479 Erika Runge, Reise nach Rostock, DDR
480 Joachim Hirsch / Stephan Leibfried, Materialien zur Wissenschafts- und Bildungspolitik

481 Jürgen Habermas, Zur Logik der Sozialwissenschaften. Materialien
482 Noam Chomsky, Die Verantwortlichkeit der Intellektuellen
483 Hellmut Becker, Bildungsforschung und Bildungsplanung
484 Heine Schoof, Erklärung
485 Bertolt Brecht, Über Realismus
487 Eberhard Schmidt, Ordnungsfaktor oder Gegenmacht. Die politische Rolle der Gewerkschaften
488 Über Wolfgang Hildesheimer. Herausgegeben von Dierk Rodewald
489 Hans Günter Michelsen, Drei Hörspiele
490 Bertolt Brecht, Trommeln in der Nacht. *Komödie*
491 Eva Hesse, Beckett. Eliot. Pound. *Drei Textanalysen*
492 Gunnar Myrdal, Aufsätze und Reden
494 Orlando Araujo, Venezuela
495 Über Paul Celan. Herausgegeben von Dietlind Meinecke
496 Walter Schäfer / Wolfgang Edelstein / Gerold Becker, Probleme der Schule im gesellschaftlichen Wandel. Das Beispiel Odenwaldschule
497 David Cooper, Psychiatrie und Anti-Psychiatrie
498 Dieter Senghaas, Rüstung und Militarismus
499 Ronald D. Laing / H. Phillipson / R. A. Lee, Interpersonelle Wahrnehmung
502 Wolfgang Emmerich, Zur Kritik der Volkstumsideologie
503 Anouar Abdel-Malek, Ägypten: Militärgesellschaft. Das Armeeregime, die Linke und der soziale Wandel unter Nasser
504 G. F. Jonke, Glashausbesichtigung
506 Heberto Padilla, Außerhalb des Spiels. *Gedichte*
507 Manuela du Bois-Reymond, Strategien kompensatorischer Erziehung
508 Gunnar Myrdal, Objektivität in der Sozialforschung
509 Peter Handke, Der Ritt über den Bodensee
510 Dieter Henrich, Hegel im Kontext
511 Lehrlingsprotokolle. Herausgegeben von Klaus Tscheliesnig. Vorwort von Günter Wallraff
512 Ror Wolf, mein famili. Mit Collagen des Autors
513 Wolfgang Fritz Haug, Kritik der Warenästhetik
514 Gefesselte Jugend. Fürsorgeerziehung im Kapitalismus
515 Fritz J. Raddatz, Verwerfungen
516 Wolfgang Lefèvre, Zum historischen Charakter und zur historischen Funktion der Methode bürgerlicher Soziologie
517 Bertolt Brecht, Die Mutter. Regiebuch der Schaubühnen-Inszenierung. Herausgegeben von Volker Canaris
518 Über Peter Handke. Herausgegeben von Michael Scharang
519 Ulrich Oevermann, Sprache und soziale Herkunft

559 Über Ror Wolf. Herausgegeben von Lothar Baier
560 Rainer Werner Fassbinder, Antiteater 2
561 Branko Horvat, Jugosl. Gesellschaft
562 Margaret Wirth, Kapitalismustheorie in der DDR
563 Imperialismus und strukturelle Gewalt. Herausgegeben von Dieter Senghaas
565 Agnes Heller, Marxistische Theorie der Werte
566/67 William Hinton, Fanshen
568 Henri Lefebvre, Soziologie nach Marx
569 Imanuel Geiss, Geschichte und Geschichtswissenschaft
570 Werner Hecht, Sieben Studien über Brecht
571 Materialien zu Hermann Brochs »Die Schlafwandler«
572 Alfred Lorenzer, Gegenstand der Psychoanalyse
573 Friedhelm Nyssen u. a., Polytechnik in der Bundesrepublik Deutschland
574 Ronald D. Laing / David G. Cooper, Vernunft und Gewalt
575 Determinanten der westdeutschen Restauration 1945–1949
576 Sylvia Streeck, Wolfgang Streeck, Parteiensystem und Status quo
577 Prosper Lissagaray, Geschichte der Commune von 1871
580 Dorothea Röhr, Prostitution
581 Gisela Brandt, Johanna Kootz, Gisela Steppke, Zur Frauenfrage im Kapitalismus
582 Jurij M. Lotmann, Struktur d. künstl. Textes
583 Gerd Loschütz, Sofern die Verhältnisse es zulassen
584 Über Ödön von Horváth
585 Ernst Bloch, Das antizipierende Bewußtsein
586 Franz Xaver Kroetz, Neue Stücke
587 Johann Most, Kapital und Arbeit. Herausgegeben von Hans Magnus Enzensberger
588 Henryk Grynberg, Der jüdische Krieg
589 Gesellschaftsstrukturen. Herausgegeben von Oskar Negt und Klaus Meschkat
590 Theodor W. Adorno, Zur Metakritik der Erkenntnistheorie
591 Herbert Marcuse, Konterrevolution und Revolte
592 Autonomie der Kunst
593 Probleme der internationalen Beziehungen. Herausgegeben von Ekkehart Krippendorff
594 Materialien zum Leben und Schreiben der Marieluise Fleißer
595/596 Ernest Mandel, Marxistische Wirtschaftstheorie
597 Rüdiger Bubner, Dialektik und Wissenschaft
598 Technologie und Kapital. Herausgegeben von Richard Vahrenkamp

599 Karl Otto Hondrich, Theorie der Herrschaft
600 Wisława Szymborska, Salz
601 Norbert Weber, Über die Ungleichheit der Bildungschancen in der BRD
602 Armando Córdova, Heterogenität
603 Bertolt Brecht, Der Tui-Roman
604 Bertolt Brecht, Schweyk (im zweiten Weltkrieg). Editiert und kommentiert von Herbert Knust
606 Henner Hess / Achim Mechler, Ghetto ohne Mauern
607 Wolfgang F. Haug, Bestimmte Negation
608 Hartmut Neuendorff, Der Begriff d. Interesses
610 Tankred Dorst, Eiszeit
611 Materialien zu Horvàths »Kasimir und Karoline«. Herausgegeben von Traugott Krischke
612 Stanislaw Ossowski, Die Besonderheiten der Sozialwissenschaften
613 Marguerite Sechehaye, Tagebuch einer Schizophrenen
614 Walter Euchner, Egoismus und Gemeinwohl
617 Probleme einer materialistischen Staatstheorie. Herausgegeben von Joachim Hirsch
618 Jacques Hochmann, Thesen zu einer Gemeindepsychiatrie
619 Manfred Riedel, System und Geschichte
620 Peter Szondi, Über eine freie Universität
621 Gaston Salvatore, Büchners Tod
622 Gert Ueding, Glanzvolles Elend
623 Jürgen Habermas, Legitimationsprobleme im Spätkapitalismus
624 Heinz Schlaffer, Der Bürger als Held
625 Claudia von Braunmühl, Kalter Krieg und friedliche Koexistenz
626 Ulrich K. Preuß, Legalität und Pluralismus
627 Marina Neumann-Schönwetter, Psychosexuelle Entwicklung und Schizophrenie
628 Lutz Winckler, Kulturwarenproduktion
629 Karin Struck, Klassenliebe
630 Alfred Sohn-Rethel, Ökonomie und Klassenstruktur des deutschen Faschismus
631 Bassam Tibi, Militär und Sozialismus in der Dritten Welt
632 Aspekte der Marxschen Theorie 1
635 Manfred Jendryschik, Frost und Feuer, ein Protokoll und andere Erzählungen
636 Paul A. Baran, Paul M. Sweezy, Monopolkapital. Ein Essay über die amerikanische Wirtschafts- und Gesellschaftsordnung
637 Alice Schwarzer, Frauenarbeit – Frauenbefreiung
638 Architektur und Kapitalverwertung
639 Oskar Negt, Alexander Kluge, Öffentlichkeit und Erfahrung

640 Probleme des Sozialismus und der Übergangsgesellschaften. Herausgegeben von Peter Hennicke
641 Paavo Haavikko, Gedichte
642 Martin Walser, Wie und wovon handelt Literatur
643 Arzt und Patient in der Industriegesellschaft. Herausgegeben von Otto Döhner
644 Rolf Tiedemann, Studien z. Philosophie Walter Benjamins
646 H. J. Schmitt, Expressionismus-Debatte
647 Über Peter Huchel
649 Renate Damus, Entscheidungsstrukturen und Funktionsprobleme in der DDR-Wirtschaft
650 Hans Ulrich Wehler, Geschichte als Historische Sozialwissenschaft
659 Heinar Kipphardt, Stücke I
660 Peter v. Oertzen, Die soziale Funktion des staatsrechtlichen Positivismus
661 Kritische Friedenserziehung
662 Thesen zur deutschen Sozial- und Wirtschaftsgeschichte 1933 bis 1938
663 Gerd Hortleder, Ingenieure in der Industriegesellschaft
664 Hans Setzer, Wahlsystem und Parteienentwicklung in England
665 Alexander Kluge, Lernprozesse mit tödlichem Ausgang
670 Peter Bulthaup, Zur gesellschaftlichen Funktion der Naturwissenschaften
671 Materialien zu Horváths ›Glaube Liebe Hoffnung‹. Herausgegeben von Traugott Krischke
672 Reform des Literaturunterrichts. Eine Zwischenbilanz. Herausgegeben von H. Brackert und W. Raitz
674 Monopol und Staat
676 George Lichtheim, Das Konzept der Ideologie
677 Heinar Kipphardt, Stücke II
678 Erving Goffman, Asyle
679 Dieter Prokop, Massenkultur und Spontaneität
681 M. Dubois-Reymond / B. Söll, Neuköllner Schulbuch, 2 Bände
682 Dieter Hoffmann-Axthelm, Theorie der künstlerischen Arbeit
683 Dieter Kühn, Unternehmen Rammbock
688 Evsej G. Liberman, Methoden der Wirtschaftslenkung im Sozialismus
689 Martin Walser, Die Gallistl'sche Krankheit
696 Hans Magnus Enzensberger, Palaver
699 Wolfgang Lempert, Berufliche Bildung als Beitrag zur gesellschaftlichen Demokratisierung
707 Franz Xaver Kroetz, Oberösterreich, Dolomitenstadt Lienz, Maria Magdalena, Münchner Kindl
728 Beulah Parker, Meine Sprache bin ich

Alphabetisches Verzeichnis der edition suhrkamp